KB076012

아이와 세계를 걷다 5

오스칼 https://brunch.co.kr/@kal-jaroo

여행을 통한 낯선 경험과 만남을 좋아한다. 그간 작품으로는 튀르키예, 그리스,
서유럽 여행기 <아이와 세계를 걷다 1>, 러시아, 미국, 캐나다를 간 <아이와 세계를
걷다 2>, 중국, 일본, 필리핀을 여행했던 <아이와 세계를 걷다 3>, 스페인, 포르투갈,
스위스, 네덜란드, 벨기에 여행기 <아이와 세계를 걷다 4>, 세계 여러 요리를
만들고 소개한 요리 인문학 <식탁에 세계를 담다>, 단독주택 건축 에세이 <우리가
살 집을 짓다> 등이 있다. 아울러 유튜브 '오스칼의 저 너머 여행 (Oscar's
Journey Beyond)'을 운영하고 있다.

발 행 | 2024-02-07
저 자 | 오스칼
펴낸이 | 한건희
펴낸곳 | 주식회사 부크크
출판사등록 | 2014.07.15(제2014-16호)
주 소 | 서울 금천구 가산디지털1로 119, A동 305호
전 화 | 1670 - 8316
이메일 | info@bookk.co.kr

ISBN | 979-11-410-7097-7
본 책은 브런치 POD 출판물입니다.
https://brunch.co.kr

www.bookk.co.kr

아이와 세계를 걷다5

독일, 체코, 오스트리아, 슬로바키아, 헝가리 여행기

오스칼 지음

CONTENT

체코 Czech Republic

오스트리아 Austria / 슬로바키아 Slovakia

헝가리 Hungary

새로운 곳을 찾아갑니다.

바흐, 괴테 그리고 루터가 살았던 곳
합스부르크 왕조가 호령했던 곳
프라하의 봄이 찾아왔던 곳
자유와 민주주의를 찾아 나선 사람들
우리는 그곳으로 갑니다.

지구 반대편에서 우리의 여행을
당신에게 전할 수 있어서 기쁩니다.

그리고
여행의 동반자, 아내와 아이에게
이 글을 두 손 모아 드립니다.

걸어서 동유럽 속으로

어느덧 여행의 계절이 돌아왔다. 초등학생 아이와 함께 긴 여행을 하기 위해서는 방학을 이용하기에 겨울은 우리에게 여행의 계절이었다. 지도를 펼쳐놓고 이번 여행 리스트를 확인해 보았다. 우리가 살고 있는 동아시아를 제외하고 다른 지역을 여행하는 리스트를 만들어 놓은 우리 가족에게 이번 여행의 목적지는 동유럽이었다. 유럽 여행은 이번이 네 번째라고 볼 수 있는데 첫 장거리 여행이라 할 수 있는 튀르키예, 그리스를 시작으로 그간 세 번을 다녀갔다.

그동안 갔던 유럽 지역은 그리스를 비롯해 영국, 아일랜드, 프랑스, 이탈리아, 스페인, 포르투갈, 스위스, 네덜란드, 벨기에로서 여러 나라에 우리의 발자취를 남겼다. 서유럽과 남유럽에 이어서 이번에 가는 동유럽은 다른 유럽 지역과 마찬가지로 역사와 문화가 풍부한 곳이라서 무척 기대가 되었다. 더군다나 예술이 빠지지 않는 곳인데 그간 갔던 유럽 도시들은 미술을 주제로 해서 많이 봤다면 이번엔 음악의 도시 유람이라고 볼 수 있었다. 특히 빈은 클래식 음악의 수도라고 봐도 과언이 아니어서 클래식 음악을 좋아하는 나로서는 파리만큼 기대가 되었다. 그리고 모차르트의 잘츠부르크, 바흐의 아이제나흐처럼 소도시 음악 기행을 통해 음악가의 자취를 느껴보는 것도 설레었다.

유럽에서는 중부유럽이라 볼 수 있지만, 우리가 간편하게 나눌 때는 동유럽이라 보는 지역을 주제로 잡고 정한 국가의 첫 번째 방문지는 독일이었다. 중부 유럽의 선진국 독일은 동유럽 국가들로 가는 관문 같은 곳이어서 가장 먼저 들리게 되었다. 두 번째는 체코로 유적뿐만 아니라 프라하의 중세 거리가 기대되었다. 세 번째는 모차르트를 비롯해 수많은 음악가를 낳은 클래식의 나라 오스트리아였다. 네 번째는 체코와 벨벳 이별을 했던 우리가 잘 모르는 슬로바키아였다. 마지막은 아름다운 수도 부다페스트를 갖고 있는 헝가리였다.

독일(Germany)의 정식 명칭은 독일연방공화국으로 영국, 프랑스와 더불어 유럽을 이끄는 나라이자 선진국이며 경제 대국으로 잘 알려져 있다. 나이가 조금 있는 사람이라면 라인강의 기적이라는 말을 들어보았을 것이다. 영국이 EU를 탈퇴한 지금 프랑스와 함께 유럽연합을 이끄는 양강 국가로 볼 수 있다. 현대사의 비극인 세계 대전을 두 차례나 일으킨 나라이자, 유대인 학살을 저지른 나치가 있던 나라로서, 화해와 용서를 빈 국가로서 역사는 기억한다. 그리고 서독과 동독으로 나라가 분단되었고, 지금은 무너진 베를린 장벽도 그때 생겼다. 서독의 급속한 경제 성장 이후 1990년 독일은 다시 통일을 이루었고 현재 국가가 되었다. 나에겐 그런 역사도 기대되었지만, 음악가 바흐의 모습을 찾아다니고 싶은 마음이 컸다. 음식으로는 맥주와 소시지가 무척 유명해서 아내와 아이의 기대가 컸다. 세계 최강 중 하나로 일컬어지는 독일 축구 리그인 분데스리가가 있어서 축구를 좋아한다면 축구 경기를 볼 수도 있겠지만, 우리 가족은 축구 경기 관람에 그리 관심이 없어서 아마 경기장을 찾지 않을 듯했다.

체코(Czech Republic)만큼 국가보다 수도 이름이 유명한 곳이 있을까 싶은데 독일 옆에 있는 작은 내륙 국가로 단단한 만큼 그 역사도 매우 길었다. 국명인 체코는 고대 체코어 단어인 체호베(Čechové)에서 나왔으며 보헤미아를 체코 사람들은 체히(Čechy)라고 불렀다. 이곳 출신 음악가라면 단연 구스타프 말러이지만 그는 거의 대부분을 빈에서 자라서 오스트리아 사람으로 인식한 듯했다. EU 국가지만 유로 대신 자국 화폐인 코루나를 사용하기 때문에 미리 환전하거나 카드를 사용하기로 했다. 이곳도 필스너 우르켈, 코젤 등 맥주가 유명해서 이번 여행은 남유럽의 와인 여행과 비교해서 맥주 여행이 될 듯했다.

오스트리아(Austria)는 스위스 옆에 있는 작은 국가로 생각되나 합스부르크 왕조가 호령했던 옛날을 생각한다면 그들이 남긴 문화유산이 프랑스에 못지않다는 것을 알 수 있다. 총 8개국과 국경을 맞대고 있는데 제2차 세계 대전의 패배 이후 스위스처럼 중립국이 되어 외교적으로 큰 역할을 하고 있다. 수도는 빈으로 파리 못지않은 역사와 전통이 있는 예술의 도시로 드높았다. 파리로 수많은 근대 미술가가 모여들었고, 로마와 피렌체로 르네상스 미술가들이 모여든 것처럼 빈은 요제프 하이든, 볼프강 아마데우스 모차르트, 루트비히 판 베토벤, 프란츠 슈베르트, 페렌츠 리스트 등 수많은 클래식 음악가가 모여든 음악의 수도였다. 그리고 나치 독일의 참상을 일으킨 아돌프 히틀러의 조국이기도 했다. 사실 독일과 오스트리아는 1866년 프로이센-오스트리아 전쟁으로 갈라지긴 했지만, 중세 시대 이후 신성 로마 제국으로 묶여 있었고 나치 독일에서는 1938년 합병을 통해 하나의 국가로 여겨지기도 했다.

슬로바키아(Slovakia)는 중부 유럽에 위치한 국가지만 동유럽으로 인식되는데 체코, 오스트리아, 헝가리, 우크라이나, 폴란드와 국경을 접하고 있는 국가로서 우리에겐 주변 국가보다는 아직 낯선 국가였다. 헝가리를 사이에 두고 낀 슬로베니아와 많이 헷갈리는 나라인데 아무래도 두 나라가 이름도 비슷하고 우리나라에 많이 알려진 국가가 아니었기 때문인 듯했다. 이번에 방문하는 체코, 헝가리와 더불어 예전 공산권 국가이기도 했다. 본래 방문할 생각이 없었는데 수도인

브라티슬라바가 오스트리아 수도 빈과 매우 가깝고, 헝가리와 오스트리아의 영향을 많이 받은 곳이어서 방문하고자 했다. 이름이 덜 알려져서 잘 모르지만, 빈부격차가 적으며 삶의 질이 꽤 높고 국가 신용등급도 높으며 제조업이 발달한 나라였다.

헝가리(Hungary)의 영어 지명은 훈족이 살았던 곳이라는 훈가리아에서 왔다는 설이 있다. 실제 어원은 마자르인과 밀접하게 교류한 튀르크계 오노구르인에서 왔다고 하는데 자국에서는 마자르오르사그(Magyarország)라고 불렀다. 이는 '마자르족의 나라'라는 뜻이었다. 마자르족은 우랄 산맥 남쪽에 살다가 서쪽으로 이주한 민족인데 1293년 헝가리 왕실의 역사책 '게스타 훙가로룸'에 의하면 훈족과 같은 조상이라고 적혀 있다. 사실 훈족은 흉노족 계열인데 당시 마자르족의 위치가 훈족의 영향을 받았으니 교류가 있을 거라 보였다. 헝가리 왕국과 오스트리아-헝가리 제국을 거치며 유럽을 나름 호령한 국가였지만 제1차 세계 대전 패배 이후 국가가 해체당하고 제2차 세계 대전 이후에는 공산화되면서 나라가 전반적으로 발전이 더디었지만, 지금은 헝가리만의 자원을 내세우면서 발전하고 있다. 특이하게 우리나라에는 헝가리 국립 의대 졸업 후 한국에서 의사로 활동할 수 있다고 해서 의대 유학으로 나름 인지도가 있다. 음악가로서는 피아노의 신으로 추앙받는 페렌츠 리스트가 있고, 그가 쓴 헝가리 광시곡이 유명했다.

여행할 국가를 정하고, 숙소와 교통을 알아보고 예약하며, 여행할 곳에 대해 공부하다 보니 아침에 창문을 바라보면 하얀 김이 서린 날이 왔다. 그다지 겨울 같지 않은 겨울 속에서 한파가 잠시 찾아왔다가 이내 여느 겨울 날씨 속에서 연말을 맞이하게 되었다. 숙박, 교통

등 주요한 예약을 다 끝내고 다시 한번 살펴보면서 오스트리아 빈의 숙소를 잘못 예약한 것을 알았다. 우리가 내리는 역은 빈 중앙역인데 서(西)역으로 알고 그쪽에 숙소를 예약을 해놓은 것이다. 그리고 예약한 독일 베를린에서 체코 프라하로 오는 기차가 환승이 없었는데 갑자기 환승이 생겨서 시간대가 다소 늦게 변경되었다. 그래서 체코 철도청에서 예약한 그 기차표를 취소하고 독일 철도청으로 다시 예약을 하는 해프닝이 있었다. 출발 일주일을 남겨놓고 생긴 일이었다. 그런데 나중 일이지만 독일 철도 파업으로 이 티켓은 사용을 못했다. 그리고 나와 아내, 아이 모두 감기 걸리지 않고 아프지 않게 건강에 신경 써야 했다. 여행이란 시간과 돈도 중요하지만, 건강이 가장 중요해야 할 수 있는 일이었다.

이번 여행은 처음으로 국가와 국가 사이를 넘어갈 때 오로지 기차로만 다니는 여행으로 계획했다. 우리나라에서 독일로 입국할 때와 헝가리에서 출국할 때 빼고는 온 도시를 여행할 때 기차로 다니게 되었다. 우리가 가는 국가는 총 5개국으로 독일, 체코, 오스트리아, 슬로바키아, 헝가리였다. 도시는 프랑크푸르트, 뉘른베르크, 라이프치히, 아이제나흐, 베를린, 포츠담, 프라하, 빈, 잘츠부르크, 브라티슬라바, 부다페스트 총 11개 도시를 다니기로 계획했다가, 브란덴부르크 1개를 추가해 총 12개 도시를 다녔다. 도시 간 이동은 독일 철도 파업으로 인해 이용하지 못한 하루만 제외하고는 기차로만 해서 나름 이색적이었다. 국가 간 이동을 기차만으로도 할 수 있다는 게 유럽의 특색을 보여주는 듯했다. 교통 때문에 우리 숙소는 대부분 역 근처로 잡아서 접근성을 편리하게 했다. 그리고 역이 있는 곳이 대부분 시내 중심지, 번화가여서 동선을 짜기에도 나쁘지 않았다. 새해가 밝아오고 이제 여행 시계가 출발을 가리키는 일만 남았다.

만 9살 아이와 14시간의 비행

2024년 1월 4일(목)(1일째)-인천에서 프랑크푸르트

12월 내내 지난하게 이어온 감기가 두 번의 병원 방문과 총 9일 치 두둑한 약 봉투 덕분에 사라질 기미가 보일 때쯤 달력의 연도가 바뀌었고 우리의 출국 일도 다가왔다. 거실에 여행 가방을 펼쳐놓고 짐 싸기를 며칠째 하고 나니 어느덧 출발이었다. 여행 출발은 지방에 사는 우리였기에 공항버스를 타는 것부터 시작이었다. 우리가 사는 도시에서 인천 국제공항까지는 4시간 이내가 걸려서 공항버스는 비행기 출국 시간보다 6시간 전으로 미리 표를 끊어놨다.

출국 전날이어서 짐을 다 싸고 밀린 빨래와 집안 곳곳을 점검하면서 항공사 사이트에서 출국 시간을 다시 확인했는데 예정 시간보다 2시간 일찍 출발 시간이 적혀 있었다. 이렇게 변경되면 미리 안내 메일이 오는데 왜 몰랐나 하면서 당황스러웠다. 다시 메일을 확인하니 예전에 시간 변경 메일이 왔는데 미처 확인을 못하고 넘겼던 것이었다. 기존 예매한 공항버스를 타면 1시간여를 남기고 공항에 도착할 듯해서 시간이 아슬할 것 같았다. 그래서 다른 버스 회사도 알아보면서 시간을 찾는데 원하는 시간은 이미 다 매진이었다. 그래서 그나마 새벽 2시 30분에 출발하는 공항버스 자리가 있길래 이걸 타고 가기로 해서 기존 표는 취소하고 다시 예매했다. 빠듯하게 도착하느니 차라리 일찍 도착하는 게 나을 듯했다. 벌써부터 여행의 변수가 찾아온 듯했다.

저녁 식사로 오랫동안 한식을 먹을 생각이 없어서 묵은지 돼지고기찜을 만들어서 식사를 마치고, 집에서 떠나는 시간이 훨씬 빨라졌기에 아이는 빨리 재웠다. 최종 짐 정리를 끝내고 밤새면서 출발 시간을 기다리는 와중에 아이가 나와서는 계속 뒤척이며 잠을 한숨도 못 잤다는 거였다. 여행 가는 게 너무 설레어서 그렇다는데 나이를 더 먹을수록 여행 가는 나라에 대해서 관심을 더 갖고 나름 찾아보고 즐길 줄 아는 아이가 되어갔다. 집 떠날 시간이 되자 집안 이곳저곳을 둘러보며 점검을 하고 왠지 모를 일말의 불안이 있었지만, 걱정일 뿐이기에 털고 집을 나섰다. 꼭두새벽의 깜깜한 공기가 우릴 맞이한 거리는 이내 공항버스 터미널로 데려다줬다.

동유럽 속으로 곧 출발

버스에 몸을 싣자마자 눈을 감은 우리는 3시간 30분을 달려 독일 프랑크푸르트로 데려다줄 인천 국제공항에 도착했다. 비몽사몽 일어나 눈을 뜨고 비틀비틀 걸어서 공항 안으로 들어갔다. 연예인들이 오는지 많은 사람이 대포 카메라를 들고 밖에 기다리고 있었다. 항상 출국 전에 식사하는 지하 식당에 가서 든든히 배를 채우고 출국 수속을 밟았다. 일찍 공항에 도착한 우리는 아이가 뽑기 행사해서 얻은 쿠폰을 보태서 곧 생일인 아내 신물을 사고, 활주로를 오가는 항공기들을 바라보며 여유 있는 시간을 보냈다. 몸이 편찮은 어머니에게 이륙하기 전 전화를 해서 건강 상태를 물었다. 계속 호전되지 않은 어머니 건강이 신경 쓰여서 출발하고 나서도 마음 한편이 계속 무거웠다. 오히려 멀리 여행 가는 우리에게 건강 잘 챙기라는 말을 해주는 어머니 마음에 내리사랑이 느껴졌다.

오전 11시 30분에 인천 국제공항을 출발한 우리는 중국, 중앙아시아, 카스피해를 지나 아제르바이잔 등 서아시아와 흑해를 거쳐 동유럽으로 진입해 루마니아, 헝가리, 오스트리아 등을 지나 독일 프랑크푸르트에 현지 시간 오후 5시 30분에 도착했다. 14시간에 걸친 비행시간 속에서 영화를 내리 5편을 보고 두 번의 기내식과 한 번의 간식을 먹고 나서야 내릴 수 있었다. 현재진행형으로 벌어지는 러시아-우크라이나 전쟁으로 흑해를 잘 지나갈 수 있을까 걱정되었는데 크림반도 밑으로 해서 중부 유럽으로 들어가는 노선으로 갔다. 아이는 비행기 타는 시간이 너무 설레었는지 타기 전부터 챙겨 온 레트로 게임기와 영화 볼 생각에 잔뜩 기대하고, 14시간 꼬박 졸지도 않은 채 본인만의 유흥을 즐겼다. 가끔 부모를 챙겨주는 면도 보여서 조금 놀라웠다.

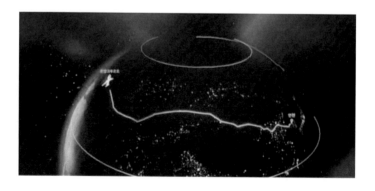

14시간의 비행

프랑크푸르트 암 마인 공항에 도착하니 기내에서 'G선상의 아리아'가 나오는 게 바흐의 나라에 왔다는 것이 실감 났다. 처음 밟는 독일 땅은 여러 번 유럽을 와봤어도 다른 나라와 비슷하면서 낯설고 새롭게 느껴졌다. 이곳에서 시작될 우리의 이번 여행이 기대되었다. 이번 독일 여행을 세 단어로 요약하면 바흐, 괴테, 루터라고 할 수 있었다. 그만큼 세 명의 영향력이 크고, 또 이들의 발자취를 따라가는 여행으로 우리는 이번 여행을 기록할 것이었다.

독일 프랑크푸르트 도착

프랑크푸르트(Frankfurt)는 헤센주의 최대이자 중심 도시로 브란덴부르크주에 위치한 프랑크푸르트 안 데어 오데르와 구분하기 위해 혹은 프랑크푸르트 암 마인(Frankfurt am Main)으로도 불렸다. 도시를 가로지르는 마인강을 붙인 건데 대개 프랑크푸르트하면 여기를

11

많이 떠올렸다. 인구는 약 70만 명으로 내가 살고 있는 도시와 비슷한 인구 규모지만 도시 인구가 적은 유럽 특성상 이 정도 규모면 상당히 큰 도시라고 할 수 있었다. 대개 생각하는 유럽 도시의 고풍스러운 이미지와는 다르게 여타 금융도시처럼 초고층 빌딩이 꽤 있는 곳이었다. 하지만 대부분 제2차 세계 대전 당시 피해로 인해 파괴된 곳이 많아 새롭게 복구해서 볼만한 곳은 많이 없는 곳이었다. 그래서 우리도 본래 가지 않을 곳이었으나 베를린으로 가는 직항이 없었기 때문에 독일로 가는 또 다른 직항이 있는 뮌헨을 제치고 독일 첫 번째 방문지로 선정하게 되었다.

이 도시는 제2차 세계 대전이 끝난 다음 연합국의 수도가 되었으나 매우 전통적이고 대도시이기도 해서 통일 후 그대로 수도가 될 가능성이 있었고, 동서독 국경 지대와 매우 가까워서 안보상 문제가 있었기 때문에 서독 초대 총리인 아데나워가 본을 서독의 수도로 지지해서 결국 본이 서독의 수도로서 기능을 수행하게 되었다. 다행히 날씨기 비는 내리지 않고 흐려서 우산을 챙기지 않아 걱정되었던 우리에겐 첫출발로 괜찮았다. 공항에서 도시 철도를 타고 중앙역에 내리니 꽤 사람들로 붐볐다. 아이는 비행기 안에서 만화영화를 보면서 14시간 비행을 자지 않고 버텨서 체력이 거의 방전 직전이었다.

우리가 묵을 호텔은 역 바로 옆에 있어서 엄청난 지리적 장점을 발휘했는데 장점은 그 위치가 전부인 곳이었다. 다소 낡고 허름하지만 신들린 위치 선정 덕분에 끊임없이 여행객이 오는 숙소 같았다. 이 호텔 말고도 다닥다닥 붙어 있는 호텔들이 여럿 있었는데 그런 이유로 장사가 잘 되는듯한 외관을 하고 있었다. 체크 인하는데 리셉션에 있는 직원이 이름을 2번이나 잘못 확인해 다소 늦어졌지만, 무사히 객실에 들어와서 감사의 안도가 나왔다. 우리는 내일 다시 프랑크푸르트를 떠날 예정이라서 짐만 놓고 처음이자 마지막이 될 밤거리를 즐기고자 바로 나왔다.

목적지인 뢰머 광장을 향해 걸어가는 길은 대마초 같은 냄새가 거리에 가득하며 쓰레기가 곳곳에 보여 깨끗한 나라 독일의 이미지에 대한 선입견에 금이 갔고, 횡단보도 신호등을 잘 안 지키는 것을 보고는 선입견이 깨졌다. 15분 정도 걸으니 사진으로만 보던 뢰머 광장이 두 눈에 담기자 독일에 온 게 실감 났다. 우리는 기내식을 먹은 지 얼마 안 되어서 아이의 체력 충전을 위해 독일 소시지 핫도그를 사서 맛보았다. 탱글탱글하니 뽀드득하고 육즙이 터지는 게 삶은 소시지여도 맛은 있어서 독일의 이미지가 회복되어 갔다. 어차피 내일 오전에 이쪽을 다시 올 거라서 분위기만 느끼고 호텔로 돌아왔다.

첫 소시지 구입

나치의 전쟁범죄 현장을 찾아서

2024년 1월 5일(금)(2일째)-프랑크푸르트에서 뉘른베르크

새벽 3시쯤 잠에서 깼다가 다시 잠들려고 하는데 바로 잠들지 못하고 뒤척이다가 6시 15분에 맞춰 놓은 알람 소리에 부스스 일어났다. 창문을 보니 중앙역도 아침을 시작한 느낌이었다. 푹 잔 아이를 깨우고 로비에 있는 조식을 여유 있게 즐겼다. 시차 때문인지 조금 컨디션이 안 좋았지만, 졸음을 깨고자 커피를 연거푸 4잔이나 들이켰다. 배불리 먹고 나니 한 시간이 지나있었다. 오전 나들이를 위해 간단히 짐을 챙겨 나와서 호텔 밖으로 나왔다. 옷은 두둑하게, 마음은 가볍게 하고 프랑크푸르트 시내를 걸어갔다. 아침 시간이지만 생각보다 자동차나 사람들이 우리나라처럼 붐비지 않아서 그게 눈에 들어왔다. 걸어서 먼저 들린 곳은 어제 갔던 유로 타워였다.

여기는 유럽

유로 타워는 EU의 중앙은행 건물로 1977년에 지어졌다. 거대한 유로 화폐 조형물 앞에서 사진 찍는 사람들이 없어서 우리끼리 인증 사진을 남기고 괴테 생가를 향해 걸어갔다. 걸으면서 낯설었던 것이 평일 아침인데도 불구하고 도로가 한적하니 밀리지 않아서 신기했다. 조금 좁은 길을 더 걸으니 그 시대 중산층이 살았을 법한 괴테 생가가 나왔다. 아이에게 괴테를 잠시 설명하는데 아이가 아직은 아는 책이 없어서 설명하는데 조금 어려웠다.

괴테 생가(Goethe Haus)는 독일의 대문호 괴테가 살던 시대의 모습으로 복원되어 그의 유품이 전시되어 있는 박물관이 되었다. 괴테는 우리에게' 젊은 베르테르의 슬픔', '파우스트' 등으로 잘 알려진 문학가로서 1749년 이곳에서 태어났다. 괴테는 이곳 3층에서' 젊은 베르테르의 슬픔'과 '파우스트'를 탄생시켰다. 이곳은 제2차 세계 대전 당시 폭격이 있어서 현재는 복구된 건물로 알려져 있으나 미리 폭격에 대비해서 가구와 용품들을 옮겨놨었기 때문에 무사히 보존될 수 있었다. 괴테 문학을 좋아하는 여행객이라면 꼭 들러볼 만한 장소였다. 이곳이 지나 뢰머 광장을 넘어가니 프랑크푸르트를 가로지르는 마인강이 펼쳐졌다. 그리고 마인강을 가로지르는 아이젤너 다리가 나왔다. 우리는 옛 다리라는 뜻을 가진 알트 브뤼케(Alte Brücke)를 건너서 아이젤너 다리(Eiserner steg)쪽으로 넘어와서 다리를 건너니 바로 뢰머 광장이 다시 나왔다.

멋스러운 뢰머 광장

뢰머 광장(Römerberg)은 프랑크푸르트의 대표적인 장소라고 할 수 있으며 어떻게 보면 이 도시의 랜드마크라고 볼 수 있는 곳이었다. 뢰머는 시청사의 이름이고 그 앞을 뢰머 광장이라고 불렀다. '로마인'을 뜻하는 뢰머가 독일의 한 지명이 된 것은 신성로마제국의 주요 도시로서 그 문명의 잔해가 오랫동안 남아 있다고 볼 수 있다. 이곳은 신성로마제국 황제가 대관식이 끝나고 난 다음 축하연을 베풀었을 정도로 역사가 깊은 곳이었다. 황제 즉위 축하연이 열린 장소인 2층 방을 황제의 방(Kaisersaal)이라 칭했으며 1792년까지 성대한 축하 장소로서 쓰였다. 이 건물 벽에는 신성로마제국 황제 중에서 독일 출신이었던 52명의 초상화가 걸려있다. 옛 시청사는 1405년부터 시청사로 사용되다가 제2차 세계 대전 때 파괴되었다가 다시 재건되었다. 이 맞은편의 목조 건물들을 오스트차일레(Ostzeile)라고 부르는데 15세기 쾰른의 비단 상인들을 위해 지어진 것이라고 했다. 뢰머 광장을 지나 복원된 옛 거리를 넘어가니 대성당이 웅장한 위용을 뽐냈다.

대성당(Kaiserdom)은 말 그대로 프랑크푸르트에서 가장 큰 성당으로 852년에 완공되었으며 왕실 예배당이면서 주교구 성당으로 사용되었고, 신성로마제국 황제의 대관식이 열린 유서 깊은 장소이기도 했다. 1562년부터 1792년까지 10명의 황제가 이곳에서 지상 위 가장 높은 관을 썼다. 고풍스러운 외관과 대비되게 내부는 새로 단장해 깔끔한 모습을 보여주었다. 내부는 새로 복원되어서 그런지 깔끔하고 단정한 모습이었고, 다른 오래된 성당보다는 단아한 이미지가 느껴져 우리나라에 있는 성당과 비슷하다는 느낌을 받았다. 잠시 어머니의 건강과 안전한 여행, 주변인들에 대한 기도를 드리고 난 다음 재래시장으로 발걸음을 향했다.

규모에 비해 소박한 대성당 내부

재래시장 클라인마크트할레(Kleinmarkthalle)는 그리 큰 규모는 아니었지만, 이곳이 소시지의 나라라는 걸 보여주듯 과일, 치즈, 빵, 꽃 등외에도 다양한 소시지를 팔고 있었다. 우리는 이미 줄이 길게 서 있는 유명한 할머니 소시지 가게에 가서 추천해 주는 3개 종류를 샀는데 서비스로 하나 더 주어서 여러 맛을 볼 수 있었다. 일일이 물어보고 굉장히 친절하게 대해줘서 좋은 인상을 남겼고 아이를 챙겨주는 모습에서 감동했다. 마음이 들어가서인지 그만큼 맛 좋은 소시지 맛을 느꼈다. 삶아낸 방식으로 담백하면서 부드럽고 톡 터지는 맛이 일품이었다.

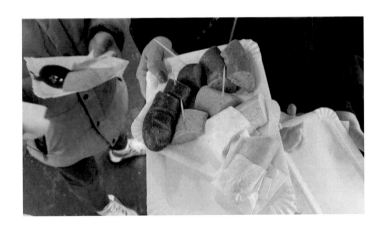

이것이 독일 소시지

시장에서 나와 다시 호텔로 돌아가서 짐을 싼 후 체크 아웃하고 중앙역으로 갔다. 8번 플랫폼에서 기차를 타는데 최종 목적지가 다른 2개 열차를 이어 붙여서 가는 기차였다. 그걸 몰랐던 우리는 타긴 했지만 최종 목적지가 다른 열차를 타서 당황했다. 역무원에게 물어보고서 정확히 어떤 열차인지 알았다. 그래도 경유하는 곳이 똑같은 뉘른베르크가 있어서 어디를 타도 상관은 없었지만, 우리는 자리 예약을 해 놓은 상태였기 때문에 처음이라 불안하긴 했다. 일단 탄 다음 첫 경유지인 하나우(Hanau)역에서 내려 최종 목적지가 빈(Wien)인 열차로 옮겨 탔다. 이런 변수로 기차는 비행기와 버스보단 확실하게 익숙하지 않아서 항상 뭔가 에피소드가 생기는데 첫 열차부터 이런 일이 생겼다. 예약한 자리를 타는 거라서 일단 옮겨 타는 게 나아 보여 정차했을 때 부리나케 옮겼는데 우리가 예약한 좌석이 있는 열차 칸은 만석이라서 이미 북적였다. 우리 자리는 다른 사람이 앉고 있어서 예약 말씀을 드리고 마음 편히 자리에 앉았다.

프랑크푸르트를 떠나기 전

호텔 객실에서 본 뉘른베르크

이렇게 DB의 ICE, 코레일의 KTX라 할 수 있는 고속철을 타고 두 시간 여를 달려 헤센주를 떠나 바이에른주에 도착했다. 우리가 두 번째로 방문한 독일의 도시인 뉘른베르크(Nürnberg)는 바이에른주의 대표 도시 뮌헨에 가려진 감이 있지만, 옛 제국도시로서 역사 깊은 흔적을 잘 간직하고 있었다. 그리고 제2차 세계 대전 당시 히틀러의 제3 제국의 중요한 도시 중 하나였으며 전쟁 이후에는 연합군에 의해 전범 군사 재판이 열린 곳이기도 했다. 현재는 공업 도시로

금속, 기계, 전기 등의 광장이 많이 있고 마인강으로 가는 운하가 연결되어 있다. 중앙역에서 내린 우리는 쾨히니 문(Königstor)을 지나 뉘른베르크에 입성했다. 이 문은 1849년에 지어져 뉘른베르크 요새의 관문 역할을 했던 곳이었다. 먼저 역 근처에 위치한 호텔에서 체크 인을 한 후 객실에 짐을 풀고 나와서는 걷기에는 다소 멀어서 버스를 타고 이동했다. 5km 정도 도심을 질러가니 드디어 히틀러가 사랑했던 도시, 뉘른베르크의 아픈 속살이 드러났다.

연단에서 바라본 비행장

우리는 먼저 체펠린 비행장(Zeppelinfeld)을 방문했다. 이곳은 1933년부터 1938년까지 나치당이 연례 당 대회를 개최했던 장소로서 이름은 1909년 페르디난트 폰 체펠린이 그곳에서 자신의 비행선 LZ6을 착륙시킨 후 그 이름을 얻었다. 1933년 나치당이 집권한 후 당의 야외 집회와 행진을 위한 장소로 지정되었다. 연단은 160,000명 이상의 관중을 수용할 수 있었다. 연단 뒤에는 50m 높이의 횃불탑이 있었는데 밤에는 붉은 불빛으로 밝혀져 나치당의 상징이 되었다. 나치당의 선전과 선동의 주요 장소로서 집회에서는 아돌프 히틀러와 다른 나치 지도자들이 국민에게 연설했다. 특히 유대인 차별을 문서

화해 홀로코스트의 근거가 된 뉘른베르크 법이 제정된 장소로도 유명했다. 제2차 세계 대전이 끝난 후에는 폐허가 되었지만, 1950년대에 복원 작업이 시작되었으며 현재는 다양한 행사에 사용되고 있었는데 이곳에 서 보니 그 옛날 비틀어진 영광의 흔적이 쓸쓸하게 남아있는 듯했다.

그다음 바로 근처에 있는 나치 전당 대회장(Kongresshalle)은 뉘른베르크의 조용하고 고즈넉한 지금 모습과 달리 독일 현대사에서 뜨거운 시기였던 나치 시대에 히틀러에게 큰 의미가 있던 도시라는 것을 보여주는 유적지였다. 로마의 콜로세움을 연상시키는 거대한 건축물은 그 크기에 비례해서 인류에 끼친 해악을 생각하면 입장료를 받고 들어갈 정도의 장소는 아니라는 생각도 들었다. 뉘른베르크 전당 대회는 나치 독일 시절에 가장 큰 행사였으며 1923년 뮌헨에서 1차 대회, 1926년 바이마르에서 2차 대회가 열렸고, 1927년부터 38년까지는 매년 뉘른베르크에서 대회가 열렸다. 제1차 세계 대전 패전 이후 고난의 행군을 하던 독일인들에게 희망의 메시지를 던지며 강력한 제국을 건설하고자 했던 나치는 히틀러가 1934년 정권을 잡으며 기세등등했다. 선전 홍보를 열심히 했던 나치는 독일인들의 마음을 사로잡게 되고 결국 제2차 세계 대전을 일으켰으며 히틀러의 자살과 함께 패망을 하게 되었다. 후에 소련은 베를린을 점령하고 이곳에서 승전일 축제를 열었다.

중앙역으로 돌아올 때는 다른 대중교통인 트램을 타고 왔다. 내렸더니 벌써 주위는 어둑해지고 저녁 식사를 해야 해서 뉘른베르크 전통 요리를 파는 식당을 방문했다. 역 근처에 있는 로컬 식당을 찾아서 뉘른베르크 소시지와 맥주, 흔들어 먹는 샐러드, 바바리안 치즈 요리

등 로컬 요리로 주문했다. 뉘른베르트 소시지는 마트에서 자주 보였는데, 손가락 길이의 내용물이 충실한 소시지였다. 밑에 깔린 양배추절임, 자우어크라우트(Sauerkraut)는 김치에 익숙한 우리에게 매우 어울리는 밑반찬이었다. 본토 맥주의 맛은 어떨지 궁금했는데 일단 최하 기본이 500ml로 시작하는 것이 놀라웠다. 나는 페일(Pale), 아내는 라들러(Radler)로 주문했다. 라들러는 스페인에서 마셨던 클라라와 비슷한 맥주로 자전거 타는 사람의 갈증 해소를 위해 가볍게 만든 음료였다. 그래서 뜻이 라들러, 즉 자전거 타는 사람이었다. 목젖을 강타하는 알싸한 시원함과 짭조름한 요리가 어우러져 만족스러운 만찬이 되었다. 식사 후 역에 있는 마트에 들러 물과 아이 과자를 샀다. 호텔에 와서 까보니 물 3병 중에 탄산수가 2병이나 되어 유럽에서 우리의 피치 못할 탄산수 사랑은 이번에도 이어지게 되었다. 아이는 러시아에서 탄산을 흔들어 빼 마시던 일, 스위스에서 탄산수로 라면 끓여 먹던 기억을 꺼냈다.

뉘른베르크의 성공적인 첫 저녁 식사

프랑크푸르트의 여기

우리가 걷고, 바라본 곳들

유로타워(Eurotower)

괴테 생가(Goethe Haus)

아이젤너 다리(Eiserner steg)

뢰머 광장(Römerberg)

대성당(Kaiserdom)

클라인마크트할레(Kleinmarkthalle)

중세 바이에른 걷기

2024년 1월 6일(토)(3일째)-뉘른베르크에서 라이프치히

시차 적응이 아직 안 된 건지 연거푸 들이킨 알코올 때문에 속이 안 좋은 건지 어제처럼 오늘도 새벽 3시 30분경에 잠에서 깨어 뒤척이다가 일어났다. 아침 6시 20분에 맞춘 알람 소리에 다들 일어나서 조식 먹을 준비를 했다. 나가기 전에 어머니와 영상 통화를 했는데 몸 상태가 좋은 건 아니라서 걱정이 되었다. 1층 식당으로 내려와서 조식을 즐기는데 종류는 많이 없어도 깔끔하게 먹을 수 있는 것들이 있어서 맛있게 먹었다. 특히 소시지가 맛있어서 여러 번 먹었고, 아이는 생애 첫 와플 만들기에 성공해서 2번이나 만들어 먹었다. 정신을 또렷이 하기 위해 커피를 또 들이켰다. 밥심으로 사는 한국인답게 우리 가족은 어디서나 푸짐하게 먹는 듯했다. 객실로 돌아와 잠시 쉰 다음 체크 아웃을 하고 짐을 프런트에 맡기고 나왔다.

구도심 걷기 시작

토요일 아침이라 그런지 거리는 한산하고 아늑한 분위기를 풍기고 있었다. 어제는 나치의 잔해를 보았다면 오늘은 구도심을 걷는 날이었다. 첫 목적지인 성 로렌츠 교회(St. Lorenzkirche)는 신성로마제국의 자유 도시였던 뉘른베르크의 성당으로 현재는 루터 교회에 속해 있다. 높이 81m의 고딕 양식으로 1270년에 짓기 시작하여 1400년에 본당이 완성되고 1477년에 최종 완공되었으며 종교 개혁 시대에도 시민들에 의해서 보존되어 그 모습이 잘 구현되어 있는 멋진 교회였다. 교회 안으로 들어가니 예배를 드리고 있어서 경건한 분위기가 연출되었다.

굉장히 정교한 멘라인라우펜

나와서 조금 더 걸으니 뉘른베르크 하면 떠오르는 랜드마크 중 하나인 프라우엔 교회(Frauenkirche)가 나타났다. 벽돌로 지어진 고딕 건축의 멋진 모델 중 하나로 1352년에서 1362년 사이에 신성로마제국 황제인 카를 4세가 지었다. 역사를 보면 1349년 흑사병 발발 이후 뉘른베르크의 유대인들에 대한 가톨릭의 학살이 일어났는데, 이후 카를 4세가 유대교 회당을 파괴하고 그곳에 교회를 세운 것이 성모 성당이 되었다. 이 교회 역시 제2차 세계 대전 당시 폭격으로 거의 다 파괴되었다가 1953년에 복구되었다.

건축 중 가장 눈에 띄는 것은 1356년 황금 황소를 기념하는 기계 시계인 멘라인라우펜(Männleinlaufen)이었다. 1506년과 1509년 사이에 설치되었다는데 황제와 선거인단이 함께 있는 모습으로 묘사되었다. 매일 정오가 되면 황제와 선거인단이 움직이는 인형극이 펼쳐졌다. 이건 1356년 카를 4세가 뉘른베르크 의회에 제후들을 소집해 금인칙서(Golden Bull)를 반포한 사건을 기념하기 위해서라고 했다. 금인칙서는 선제후 7명(마인츠 주교, 쾰른 주교, 트리에르 주교, 보헤미아 왕, 작센 공, 브란덴부르크 변경백, 팔츠 백)이 회의를 해서 대관식은 아헨에서 거행하고 마인츠 대주교가 마지막 투표권자라는 내용이 있다.

광장 맞은편에 있는 아름다운 분수, 쇠너 브루넨(Der Schoene Brunnen)은 프라우엔 교회 앞에 있는 화려한 첨탑 모양의 분수대로 1930년대 후반 세워졌다. 높이는 19m에 달하는 거대하고 화려한 모습으로 감탄을 자아냈다. 금빛으로 꾸며진 분수의 화려함 중 하나가 조각상인데 소크라테스, 아리스토텔레스, 요한 등의 조각 작품이 있다. 광장을 뒤로하고 가니 성 로렌츠 교회와 쌍둥이 같은 성 제발트 교회가 나왔다. 성 제발트 교회(St.Sebalduskirche)는 12세기에 지어졌으며 로마네스크 양식과 고딕 양식의 요소를 결합하고 있는 교회로 현재는 개신교 복음 교회로 있다. 하지만 성상이나 벽화 등은 그대로 있으며 교회의 외관은 화려한 조각과 장식으로 장식되어 있었다. 중앙 제단은 14세기에 만들어졌으며, 성 제발트와 그의 동료 성인들의 조각으로 장식되어 있다. 제단 뒤에는 13세기에 만들어진 성 제발트의 금박 석관이 있어서 눈길을 끌었다. 내부에 전혀 난방이 되지 않아서 오래 있지는 못해서 천천히 둘러만 보고 나왔다.

뉘른베르크를 조망할 수 있는 뉘른베르크 성으로 가기 위해 우리는 오르막길을 올라갔다. 눈앞에 보이며 다 왔다는 걸 알려주는 아펜펠센(Affenfelsen) 타워는 독일 뉘른베르크에 있는 14세기 고딕 양식의 타워로서 1327년에 처음 지어졌으며, 1340년에 현재의 모습으로 완성되었다. 타워는 44m 높이에 있으며, 3개의 아치로 이루어져 있다. 타워의 꼭대기에는 전망대가 있으며, 강과 도시의 아름다운 전망을 감상할 수 있다. 타워의 이름은 독일어로 '원숭이 바위'를 의미하는데, 옛날 타워 근처에 원숭이가 많이 살았다고 해서 붙여진 이름이었다.

뉘른베르크성(Nürnberger Burg)은 구시가지를 한눈에 조망할 수 있는 곳으로 카이저부르크(Kaiserburg)와 부르크크라펜(Burggrafen)으로 나뉘어 있다. 1140년에 콘라드 3세가 머물 궁으로 카이저부르크가 건설되기 시작했다. 제2차 세계 대전 기간에는 다른 독일 문화재처럼 큰 피해를 받았지만, 전후 복구를 하면서 옛 모습대로 복원되었다. 성에서 시가지를 바라보니 한눈에 가득 찼다. 반대편으로 돌아내려 온 우리는 뒤러 하우스로 향했다.

중세 시대로 시간 여행

중세 시대의 모습으로 잘 복원된 거리를 걷자니 꼭 옛사람들의 모습
이 아른거리는 듯했다. 터널을 지나 나타난 뒤러 하우스(Albrecht
Dürer-Haus)는 카이저부르크 성 바로 앞에 위치한 저택으로 르네상
스 시대의 모습을 간직하고 있는 곳이었다. 하얀 벽에 목조가 드러
난 아름다운 모습으로 르네상스 시대에 알프스 이북을 대표하는 화
가인 뒤러가 1509년부터 1528년 죽음에 이르기까지 살았던 집이었
다. 뒤러뿐만 아니라 그의 제자와 어머니, 아내도 함께 살았던 곳으
로 그가 살았을 당시 내부 모습을 재현해 놓아서 르네상스 시대 사
람들의 삶을 엿볼 수 있는 공간이었다. 이곳도 제2차 세계 대전 당
시 폭격으로 피해를 입었지만 복원 작업을 통해 현재 모습을 갖게
되었다.

이 도시를 가로지르는 페그니츠강에 놓인 여러 다리를 보면서 도시의 깊이를 더욱 느껴보았다. 막스브뤼케(Maxbrücke)는 강을 가로지르는 석조 아치 다리로서 14세기 중반에 처음 지어졌으며, 1810년 바이에른 국왕 막시밀리안 1세 요제프를 기리기 위해 막스브뤼케로 이름이 바뀌었다. 뉘른베르크에서 가장 오래된 돌다리로서 길이는 120m, 너비는 13m이며 다리의 난간은 르네상스 양식으로 장식되어 있다.

헨커브뤼케(Henkerbrücke)는 나에게 더 인상적이었던 다리로서 처형자들이 오갔던 다리로 유명하며, 바로 이어져 있는 목조 다리인 헨커슈텍(Henkersteg)은 사형집행인의 다리로 이곳이 예전에는 무시무시한 곳이었다는 것을 알려주었다. 다리를 지나 기차 시간이 오후 6시라서 그전에 카페에서 몸을 녹이고자 다시 시가지를 정처 없이 걸어갔다. 딱 정해놓고 카페를 찾지 않고 눈에 보이는 곳으로 들어갔다. 북적이는 카페의 창가 자리에 앉아 뉘른베르크에서의 마지막 한때를 즐겼다.

원래 멀리 떨어진 전범 재판소까지 다녀올까도 싶었으나 무리하는 것 같아서 그곳은 넘어가기로 했다. 뉘른베르크 전범 재판소는 제2차 세계 대전 이후 나치 독일의 전범(戰犯) 즉, 전쟁 범죄에 대해 다룬 국제 군사 재판이 열린 곳이었다. 우리에게 전범 재판은 극동국제군사재판으로 잘 알려져 있는데 그건 흔히 도쿄 전범 재판이라고 알려져 있으며, 뉘른베르크는 나치 독일이 저지른 전쟁 범죄를 다루고 있다. 미국, 영국, 프랑스, 소련 등 연합국으로 참전했던 4개국이 독일이 자행한 전쟁 범죄를 처벌하기 위해 열렸는데 24명의 기소인 중에서 자살과 병사를 한 2명을 제외하고 22명이 재판에 회부되어

12명은 사형, 3명은 종신형, 4명은 유기형, 3명은 무죄를 받았다. 역사적으로 매우 유명한 곳이기 때문에 역사 교과서에도 자주 등장하는 곳이었다.

제대로 된 글뤼바인 한 잔

카페에서 나와 성모 성당이 있는 광장으로 산책하는데 글뤼바인 (Glühwein) 파는 곳이 있었다. 뱅쇼와 비슷하게 레드 와인에 생강, 계피 등을 넣고 뜨끈하게 끓인 음료로 한 번은 맛보고 싶었다. 아이에게 주문하라고 말하니 바로 가서 주문하는 게 재빨라서 조금 놀랐다. 4유로인데 컵을 반납하면 3유로를 돌려주는 시스템이어서 먼저 7유로를 결제했다. 일단 한 입 마시니 알코올이 확 올라오는 게 집

36

에서 만들어 먹던 뱅쇼와는 달라서 당황스러웠다. 집에서는 일부러 푹 끓이니까 알코올이 날아갔는데 진짜배기는 달랐다. 찾아보니 뉘른베르크에서 생산된 글뤼바인이 독일의 90% 이상 점유하고, 알코올 함량은 7%로 정해져 있다고 했다. 한 잔 사서 아내와 둘이 야금야금 나눠 마셨다. 알딸딸하면서 달콤한 글뤼바인이 뱃속을 따뜻하게 달래주었다.

뉘른베르크 맛집

아내 생일인 오늘 저녁 식사는 뉘른베르크의 맛집에서 축하하기로 했다. 기차 시간 때문에 다소 이른 오후 4시에 생각해 놓은 식당으로 갔다. 예스러운 분위기가 풍기는 식당 안은 전통적인 독일 식당을 느끼기에 충분했다. 우리는 슈바인 학센과 뉘른베르크 소시지 모둠, 샐러드를 요리로 주문했다. 그리고 켈러 맥주와 지역 필스너 맥주, 포도 주스를 시켜서 만찬을 즐겼다. 우리나라의 족발과 비슷한 학센 요리는 돼지를 의미하는 슈바인(Schwein)과 관절을 의미하는 학세(Haxe)의 합성어로 돼지 발목 윗부분, 우리로 치면 족발에 해당하는 부위를 구워서 요리한 전통 요리로서 한 번 삶았다가 껍질을 튀긴 게 특징인데 바삭한 맛과 안의 촉촉한 고기 맛이 어우러졌다. 그래도 나에겐 우리나라 족발이 더 쫄깃하고 입에 맞는 듯했다. 뉘른베르크 소시지는 어젯밤에도 먹고, 오늘 아침과 저녁까지 계속 먹게 되었는데 나중에 생각날 것 같았다.

실패가 없던 뉘른베르크의 식사

으깬 감자가 쫀득하고 너무 맛있어서 아내에게 물어보라고 했는데, 먼저 아이가 종업원에게 너무 맛있다며 어떻게 만드는 거냐고 물어봤다. 감자를 으깨고 거기에 빵가루나 달걀을 섞은 다음 둥글게 치대서 찐다고 알려줬다. 아까 글뤼바인을 주문할 때도 그렇고 이제 여행에서 대화 담당은 아이가 맡아도 될 것 같았다. 맥주잔을 기울이며 아내와 아이와 많은 이야기를 했다. 가족, 인생, 여행, 미래의 가치관에 대해 나누며 생각을 더한 좋은 시간이었다. 이런 시간이 있기에 우리가 더욱 끈끈해지는 힘을 얻는 듯했다. 그래서 더욱 감사한 시간이었다.

주위가 어둑해질 때 식당을 나와서 이제는 길을 외워버린 시가지를 지나서 호텔을 찾아 짐을 찾은 다음 중앙역으로 향했다. 어디선가 오고, 어딘가를 갈 많은 사람이 붐비는 역을 이리저리 둘러보고 우리를 라이프치히로 데려다줄 기차가 올 6번 플랫폼에서 기다렸다.

이때 아이와 나는 슬로 파이트 장난을 치다가 내 무릎에 오른쪽 눈 위를 맡아서 울음을 터트렸다. 달래면서 잠잠해지길 기다리는 동안 기차가 와서 이번에는 우왕좌왕하는 일 없이 정확하게 탑승했다. 우리가 탄 기차는 뮌헨에서 출발해서 뉘른베르크, 밤베르크, 베를린 등을 거쳐 독일 북쪽 도시 함부르크까지 가는 기차였다.

2시간을 달려 이번 여행의 세 번째 도시, 라이프치히(Leipzig)에 도착했다. 괴테를 좋아하는 사람들은 알만한 작품 '파우스트'에 나오는 도시, 라이프치히는 이런 대목이 나온다. "나의 라이프치히를 나는 찬양한다. 작은 파리라고 할 만큼 사람들이 교양이 있다." 사실 나는 독일 문학, 괴테에 관심 있는 편이 아니어서 그걸 생각하면서 도시를 방문하지는 않았다. 독일의 분단 당시 동독의 주요 도시이며, 음악가 바흐를 생각하며 방문했다. 작센주의 중심 도시였으나 동독으로 분리되면서 도시 규모가 작아졌고 지금 다시 새롭게 떠오르는 도시였다. 독일은 제2차 세계 대전 이후 소련이 관리하던 지역이 동독으로 분리되고, 다른 연합국이 관리하던 지역은 서독이 되었다. 우리처럼 분단국가로 지냈지만 1989년 동유럽 혁명이 일어난 시발점이 바로 여기였다. 1989년 10월 9일에 일어난 라이프치히 시민들의 시위가 드레스덴, 동(東)베를린 등 다른 동독 도시들로 전파되었고 얼마 뒤 철통같던 베를린 장벽이 무너뜨리고 1990년 10월 3일 통일이 되었기에 이 시위가 독일 현대사에서 중요한 위치를 점하고 있었다.

라이프치히 도착

역에서 내리니 서리가 내린 듯한 찬 공기가 우리 얼굴을 확 감쌌다. 서둘러 입김을 불며 역 근처에 있는 호텔로 부지런히 캐리어를 끌고 갔다. 이미 저녁 8시가 넘어서 우리는 체크 인을 하고 내일을 준비하기로 했다. 내일부터는 아침 기온이 영하 5도까지 떨어진다고 해서 제대로 한겨울을 느낄 듯했다. 일단 독일에서 체코로 넘어가기 전까지는 금주하기로 자신과 약속을 했지만, 아내가 유명한 아우어 바흐 술집을 예약해 놔서 지키지 못할 약속 같았다.

뉘른베르크의 여기

우리가 걷고, 바라본 곳들

체펠린 비행장(Zeppelinfeld)

나치 전당 대회장(Kongresshalle)

성 로렌츠 교회(St. Lorenzkirche)

성 제발트 교회(St.Sebalduskirche)

프라우엔 교회(Frauenkirche)

뉘른베르크성(Nürnberger Burg)

뒤러 하우스(Albrecht Dürer-Haus)

바흐와 괴테의 도시 산책

2024년 1월 7일(일)(4일째)-라이프치히

어제보다는 늦은 5시경에 일어나서 하루를 시작했다. 희뿌연 하고 찌뿌둥한 날씨 속에 조용한 도시를 스르륵 지나가는 트램덕분에 역 밖으로 나와서 느꼈던 라이프치히의 첫인상은 영화 '블레이드 러너' 의 도시와 닮았는데 새벽에 본 창밖 풍경도 비슷했다. 아내와 아이 를 깨우고 호텔 1층으로 조식을 먹으러 내려왔다. 어제 뉘른베르크 호텔보다 종류는 많은 듯해도 입맛을 끄는 건 적어서 오늘만 먹어도 족할 듯했다. 호텔 객실에서 바라본 라이프치히 중앙역은 이미 하루 를 시작하고 있었다. 라이프치히 중앙역(Leipzig Hauptbahnhof)은 다른 역과 달리 의미가 있는 게 1915년 지어질 당시 31개의 플랫 폼을 가진 세계 최대 규모의 역사였으며, 독일 분단 전에는 전 유럽 을 연결하던 철도의 중심지이기도 했다. 분단 이후 쇠퇴했다가 지금 다시 도약을 꿈꾸는 도시의 중앙역다운 모습을 갖추고 있었다.

한때 세계 최대 규모였던 라이프치히 중앙역

외출 준비를 하고 라이프치히에서 머무는 3일 동안 도심 나들이는 오늘뿐이라서 따뜻하게 입고 나갔다. 먼저 일요일이라서 우리는 성 당으로 미사 참례를 하러 갔다. 시내를 가로질러 가는데 아침이라이 도심 한복판에 우리만 있는 듯했다. 우리가 간 성당은 도로 건너 시청 맞은편에 있는 모던한 디자인이 이색적인 성당으로 정식 이름은 성 삼위일체 교회(Propsteikirche St. Trinitatis)였고, 드레스덴-마이센 교구 소속이었다. 인터넷에서 미사 시간이 오전 9시라서 부리나케 걸어서 왔지만 사람들이 거의 없어서 당황했다. 물어보니 9시 30분에 시작한다고 되어있어서 여유롭게 기다릴 수 있었다. 미사와 성가가 독일어로 진행되어 뭔지 잘 모르지만, 순서는 거의 같았기 때문에 눈치껏 함께 했다. 독일어 성가를 처음 들어봤는데 우리나라와 성가 번호가 달라서 찾아 부르기 어려웠으나 알고 있는 성가는 아는 한 따라 불렀다.

독일에서 첫 미사

미사가 끝난 다음 성 토마스 교회(Thomaskirche)로 갔다. 이 교회는 12세기 지어져서 종교 개혁 이후 루터 교회로 사용되고 있는데 이곳에 와보고 싶던 가장 큰 이유는 바흐가 이 교회에서 1723년부터 사망한 1750년까지 성가대 감독(Thomaskantor)으로 근무했으며 그의 묘가 있기 때문이었다. 우리가 갔을 때는 예배가 끝나고 성가대 연습과 예식이 진행되는 찰나여서 운 좋게 성가대의 음색을 들을 수 있었다. 천사가 어깨에 손을 얹는 듯한 화음이어서 짧지만 아름다운 시간이었다.

드디어 바흐 영접

중앙 제단 앞에 바흐 무덤이 있었는데 사실 바흐는 당대에 명망이 아주 높지는 않은 음악가여서 유해가 바로 묻힌 것은 아니고 1894년에 유해를 찾아서 1950년에 이장되었다. 모차르트는 당대와 현재까지 불멸의 영광을 누리지만 유해를 찾지 못한 것과 대조를 이뤘다. 사실 교회 안에 시신이 안치된다는 것은 황제나 왕, 왕가의 혈육 아니면 불가능에 가까운 일인데 그의 무덤이 안에 있다는 것은 바흐의 위대한 음악성에 대한 인정이라 생각되었다. 스테인드글라스에는 바흐와 바흐를 알리는데 노력했던 멘델스존의 초상이 있어서 눈길을 끌었다. 그리고 루터가 1539년 이곳에서 설교를 했다는 기록 명판도 남겨 있어서 이곳이 세계사에서 중요한 공간이었다는 것을 알려주었다.

교회 안에 있는 바흐 무덤

나에게 바흐는 클래식 음악의 최고봉이었다. 음악은 취향이기에 모차르트 음악도 굉장히 좋아하나 바흐의 바로크 음악 스타일이 개인적으로 더 와닿았다. 요한 제바스티안 바흐(Johann Sebastian Bach)는 음악가 집안에서 태어나 그 이름을 영원히 남겼는데, 바로크 음악뿐만 아니라 클래식 음악사에 길이 남을 고전주의 음악에도 영향을 끼쳤다. 베토벤은 바흐를 두고 실개천(Bach)이 아니라 바다(Meer)라고 표현했다. 바흐는 당대에 음악감독으로서 명성이 있었으나 지금만큼은 아니었다. 이렇게 알려지게 된 것은 아들들과 제자들을 중심으로 바흐 음악을 알린 덕택이 컸다. 그렇기에 바흐 사후에도 바흐 음악의 위대함을 잘 알 수 있었다. 특히 멘델스존이 바흐를 알리는데 큰 노력을 하여 이 교회의 스테인드글라스에 바흐와 멘델스존이 나란히 있다는 건 천사 혹은 성인들에 비견되는 큰 업적을 쌓았다는 것을 보여주는 증거였다.

스테인드글라스에 갔든 두 인물

교회를 나와 바로 옆에 바흐 동상이 있어서 사진을 찍는데 성가대도 나와서 기념사진을 찍길래 찍어보았다. 길 건너 바흐 박물관이 있어서 들렀다. 이곳은 바흐와 음악가 집안인 바흐 집안의 삶에 대해 보여주는 곳으로 바흐의 악보 원본을 포함한 물품들이 보관되어 있어서 바흐의 팬이라면 방문할 가치가 있는 곳이었다. 사실 이곳은 바흐 가족이 실제 살았던 곳은 아니고 그 맞은편에 실제 거주했던 건물이 있었지만 1902년 헐리면서 바흐 가족과 절친했던 보제 가족의 집이 현재 박물관이 되었다. 약간 흥분된 나는 유심히 보고 듣고 싶었지만, 피아노 학원을 다니기 시작한 아이는 전혀 관심이 없어서 다소 일찍 나와야 했다. 이런 상황이니 조금 떨어진 슈만이나 멘델스존 하우스 가는 건 포기하는 게 나을 것 같았다.

성가대 단체 촬영

슈만 하우스(Schumann-Haus)는 1838년에 지어진 건물로, 슈만과 클라라는 이곳에서 1839년부터 1844년까지 살았다. 그때 슈만은 작품 중 일부를 작곡했으며, 클라라는 그의 작품을 연주하고 가르쳤다. 1956년에 탄생 146주년을 기념하여 박물관으로 개관되었다. 박물관에는 슈만의 생애와 작품을 보여주는 다양한 전시물들이 전시되어 있다. 멘델스존 하우스(Mendelssohn-Haus)는 지금도 명망 있는 라이프치히 게반트하우스 오케스트라의 지휘자로 일하며 죽을 때까지 살던 집으로 1997년 타계 150주년을 기념해서 개관했다. 멘델스존을 좋아하는 팬이라면 방문해도 좋으며 멘델스존의 곡을 감상할 수 있다. 멘델스존은 자체로도 유명하나 바흐를 알린 인물로서도 알려져 클래식 음악계에 큰 공헌을 한 인물이었다. 오스트리아 빈뿐만 아니라 라이프치히도 음악의 도시라는 걸 보여주는 곳들이었다.

한겨울의 찬바람이 쌩하고 불어오는 거리를 걸어서 구 시청(Altes Rathaus) 광장을 지나 카페 바움(Zum Arabishen Coffe Baum)에 도착했다. 아쉽게도 현재 공사 중이라 외관만 봐야 했는데, 이 카페는 독일에서 가장 오래된 커피 하우스로 1694년 아라비아의 커피나무라고 새겨진 입구로 시작되어 300년이 넘는 역사를 자랑했다. 독일의 대문호 괴테, 내가 사랑하는 바흐, 멘델스존, 리스트, 슈만, 바그너 등의 음악가와 나폴레옹까지 많은 명사가 드나들었던 카페였다. 예전 프랑스 파리에서 레 뒤 마고를 방문했을 때의 감성을 불러 일으키기에 충분했다. 바흐는 커피를 워낙 좋아해서 '커피 칸타타'라는 곡까지 작곡할 정도였는데 라이프치히에서 커피를 꼭 마셔야겠다고 생각했다.

다시 우리가 지나간 구 시청 광장을 지나 라이프치히 대학교로 발걸음을 옮겼다. 라이프치히 대학교는 전 독일 총리로 유명한 앙겔라 메르켈이 졸업한 학교로서 독일에서 5번째로 오래된 대학교였다.

1409년 마이센 변경백 프리드리히 4세가 후스 전쟁으로 위협받던 교수와 학생들을 보호할 목적으로 세웠다고 했다. 분단 시절에는 라이프치히 카를 마르크스 대학교라고 공산주의스러운 이름을 갖게 되었으며 캠퍼스 교회인 파울리 교회(Paulinerkirche)는 1968년 강제 철거당했다. 현재는 유리 벽으로 세련된 모습을 자랑했다. 파울리 교회를 파올리눔(Paulinum)이라고도 불렀다. 조금 더 돌아다니고 싶어도 날이 추워서 오래 있질 못했다.

대학교 근처에 루터의 종교 개혁의 출발점인 성 니콜라이 교회(Nikolaikirche)가 다소 세월의 흐름에 잠긴 모습을 보이고 있었다. 이 교회는 1165년에 착공되어 로마네스크 양식으로 처음에 지어졌지만 16세기 중반 고딕과 바로크 혼합 양식으로 바뀌어 완공되었다. 내부의 대형 오르간이 유명하며 처음에는 성당이었지만 1539년 루터 교회로 바뀌었다. 그리고 알다시피 마르틴 루터가 이곳에서 설교를 하면서 종교 개혁이 시작된 곳으로 1539년 5월 25일 이곳에서 종교 개혁을 선언했다. 또한 독일 통일의 시작점으로 시민들이 비폭력 시위를 벌였던 월요 시위의 시작인 기도회가 있었던 곳이어서, 외관은 여느 교회와 비슷하게 느껴지지만, 여러모로 독일 역사의 시작점이 된 장소로서 유서 깊게 느껴졌다.

통일 독일을 향한 시작점이 된 성 니콜라이 교회

나와서는 근처에 있는 멋진 아르누보 양식의 카페에 가서 잠시 몸을 녹였다. 커피 한 잔의 여유를 충분히 즐기고 나서 동독 시절의 역사를 주로 보여주는 독일 현대사 박물관을 찾았다. 무료로 입장이 가능했는데 아주 크지는 않아도 볼거리가 알차서 오히려 기부금을 내고 나왔다. 분단이 현실이며 그 현실을 당연하게 사는 지금의 우리에겐 생각할 거리를 던져주었다. 나중에 통일이 된다면 정말 과거의 유물이라 느끼며 북한의 모습을 알 수 있을까 하는 상상을 해보았다. 3층에는 독일의 현대 음악을 전시하고 있었는데 80년대 코너에서는 독일 밴드 Nena의 '99 Luftballons'가 플레이되고 있었다. 내가 참 좋아하는 곡이라서 끝까지 들었는데 2층에서 봤던 독일의 분단 시절이 오버랩되면서 그 시절에 적절한 곡이라는 생각이 들었다.

Nena의 '99 Luftballons'

저녁 식사를 하기 위해 찾은 아우어바흐 술집(Auerbachs Keller)은 희곡 '파우스트'에 등장하는 술집으로 파우스트가 악마 메피스토펠

레스와 계약을 맺고 간 곳으로 유명했다. 카페 바움이 지상에 있으며 커피를 마셨다면, 이곳은 지하에 있으며 술잔을 기울이는 곳이었다. 술집의 명칭은 이곳에 살았던 13세기의 와인 상인 마르틴 아우어바흐에서 유래되었다. 술집은 세 개의 홀로 구성되어 있었다. 가장 큰 홀은 메피스토펠레스 홀로 알려져 있으며, 괴테의 '파우스트'에 등장하는 장면을 묘사한 그림들이 걸려 있다. 다른 두 개의 홀은 파우스트의 홀과 마르틴 아우어바흐 홀이었다.

'파우스트'에 등장하는 술집

문학 작품 속에 있는 기분

요리는 식당에서 내세우는 멧돼지와 소고기 요리, 돼지 등심과 감자 크로켓을 주문했는데 배가 고픔에도 불구하고 맛은 평이한 수준이었다. 맥주는 고제 맥주와 지역 흑맥주를 시켜서 파우스트의 저녁을 보냈다. 요리는 먹다 보니 음식이 짜서 맥주를 더 시킬 수밖에 없는 맛이었다. 나는 오리지널 라이프치히 고제 맥주를 추가 주문해서 더 마셨다. 맥주 1L를 마시고 밖으로 나오니 영하의 추위도 추운 게 아니었다. 약하게 눈발이 날리는 시내를 가로질러서 중앙역에 들어가 물을 2병 산 뒤 호텔로 돌아갔다. 그리고 해장을 위해 아이와 어제처럼 컵라면을 먹고 불룩해진 배를 두드리다가 잠들었다.

라이프치히의 여기

우리가 걷고, 바라본 곳들

구 시청(Altes Rathaus) 광장

라이프치히 대학교(Universität Leipzig)

성 토마스 교회(Thomaskirche)

바흐 박물관(Bach-Museum Leipzig)

카페 바움(Zum Arabishen Coffe Baum)

라이프치히 현대사 포럼(Zeitgeschichtliches Forum Leipzig)

성 니콜라이 교회(Nikolaikirche)

아우어바흐 술집(Auerbachs Keller)

바흐가 살고, 루터가 알렸다

2024년 1월 8일(월)(5일째)-아이제나흐

새벽 3시 반쯤에 깨어 좀처럼 잠들 수가 없었다. 내 옆 침대에서 자는 아이가 자주 뒤척여 이불을 덮어주고 자세도 바르게 해 주었다. 아침에 일어나 물어보니 잘 때 추웠다고 했다. 아내가 철도 파업이 이번 주에 있다는 사실을 알려주었다. 수요일부터 금요일까지 하는데 우리가 라이프치히에서 베를린으로 가는 날은 화요일이라서 다행이었지만, 금요일이 베를린에서 체코 프라하까지 4시간 기차를 타야 하는 날이라 운행을 안 하니 서둘러 버스표를 알아보았다. 철도 파업으로 인해 60유로가 넘는 기차푯값 중에서 10유로를 수수료로 떼고 돌려주었다. 왜 수수료가 있는지 이해 가질 않았는데 어쨌든 기차는 못 타게 되었고, 버스로 국경을 넘어가게 생겼다. 돌려준 것도 환불이 아니라 바우처여서 골치 아프게 했다. 그리스에서 한 번 경험한 적이 있었는데 그때 환불 불가였기 때문이었다. 버스는 마침 오전 9시 출발하는 표가 있어서 그 시간에 넘어가는 게 최선일 듯해서 예매를 했다. 가격은 기차보다 더 비쌌고, 소요 시간은 비슷했다. 어쨌든 자유 여행의 변수였다.

아이제나흐로 출발

조식을 먹지 않고 나와서 역으로 간 다음 카페에서 프레첼, 치즈 프레첼, 카스텔라와 카푸치노, 라테 마키아토를 주문해서 먹고 아이제나흐로 가는 기차를 탔다. 플랫폼에서 기다리는데 아침 날씨가 영하 7도에다가 눈바람이 날려 춥게만 느껴졌다. 아침 시간이라 사람들이 많이 없어서 기차 안은 한적했다. 한 시간 정도를 달려 아이제나흐(Eisenach)에 도착했다. 튀링겐주에 위치한 인구 4만 명 정도의 작은 도시인 아이제나흐는 일반적인 독일 여행에서는 찾지 않는 곳이지만 위대한 클래식 음악가 바흐의 고향이기에 독일에 온 만큼 방문하고 싶었다. 그리고 마르틴 루터가 피난 생활을 할 때 그리스어 신약 성서를 독일어로 번역했던 바르트부르크성이 있어서 표준 독일어가 탄생한 독일에서 중요한 위치에 있는 도시였다.

아담한 역 바깥으로 나오니 눈이 여전히 날리고 있었다. 작은 도시라서 우리가 보고 싶은 곳은 걸어 다닐 수 있었는데 추운 게 문제였다. 먼저 중세 모습을 간직한 니콜라이문(Nikolaitor)을 지나서 바로 붙어 있는 니콜라이 교회(Nikolaikirche)로 갔는데 문을 닫아서 내부로 들어갈 수 없었다. 1170년쯤 니콜라이 교회와 같은 시기에 지어진 니콜라이문은 도시 성벽을 이루던 다섯 개의 문 중에서 유일하게 현재까지 남아 있는 문이었다. 중세 시대 프랑크푸르트에서 폴란드 크라카우까지 이어지는 무역로의 관문이어서 매우 중요했다고 전해졌다.

니콜라이 교회 맞은편 공원에 있는 마르틴 루터 동상을 지나서 다음 목적지인 게오르그 교회로 향했다. 정감 있는 거리를 지나서 나오니 넓은 시청 광장이 나왔다. 그리고 게오르그 교회가 딱 하니 보였다. 게오르그 교회(Georgenkirche)는 독일의 다른 교회와 마찬가지로 본래 천주교 성당이었지만 종교 개혁 이후 루터파 개신교 교회가 되었다. 바흐 역시 가족들과 이 교회에 출석했고, 1685년 이 교회에서 세례를 받았다. 예배당으로 들어가는 문 위에 바흐가 이곳으로 세례 받기 위해 들어갔다는 표지판이 걸려 있었다. 현재 건물은 1515년에 지어졌지만, 문서에는 1196년에도 등장할 만큼 역사가 오래된 교회였다. 그런데 여기도 문이 닫혀서 교회 예배당 내부로는 들어갈 수 없어서 몸을 녹이려던 우리의 계획은 연이어 실패했다.

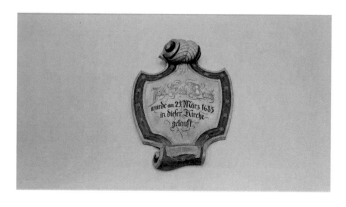

바흐가 세례를 받았다는 표지판

교회를 나와서 모퉁이를 돌아가니 독일의 위대한 인물 중 하나인 마르틴 루터의 집이 나왔다. 루터 하우스(Lutherhaus)는 학창 시절 배우던 역사 교과서에 빠짐없이 등장하는 가톨릭 신부 출신이자 종교 개혁가 마르틴 루터(Martin Luther)가 태어난 곳은 아니고 어린 시절 살았던 곳으로 지금은 박물관으로 사용되고 있다. 지어진 지 500년이 넘었으며 아이제나흐에서 가장 오래된 목조 건물이기에 건축학적으로도 가치가 있는 건물이었다. 루터는 우리에게 너무 유명한 독일의 인물로 1521년 교황의 면벌부 판매에 항의하는 '95개 조의 반박문'을 통해 종교 개혁에 앞장섰으며 이는 개신교의 탄생으로 이어졌다.

루터 하우스를 지나서 소박한 도심 거리를 걸으니 갑자기 나타난 제목 그대로 좁은 집(Schmales Haus von Eisenach)은 굉장히 좁은 목조 주택으로 14세기에 지어졌으며, 너비가 2.05m에 불과해 독일에서 가장 좁은 주택으로 알려져 있었다. 2층으로 구성되어 있으며, 지상층에는 상점이 있고, 2층에는 주거 공간이 있다. 독일 전통적인 목조 건축 양식으로 지어졌으며, 짙은 갈색의 목재로 마감되어 있으며 주택의 앞면에는 창문과 문으로 둘러싸인 작은 발코니가 있었다. 내가 독일에서 가장 좁은 집이라고 아내와 아이에게 말해도 믿지 않는 눈치였다.

독일판 미니멀리즘 주택

바흐 하우스(Bachhaus Eisenach)는 바흐의 생가로 추정되는 곳으로 음악가 집안인 바흐 집안의 악기와 악보, 작품들을 감상할 수 있다. 바흐의 기념관 중 가장 먼저 세워진 곳으로 바흐 기념 사업회에서 건물을 사들여 1907년 박물관으로 문을 열었다. 이곳 역시 제2차 세계 대전 당시 파괴되었지만 복원 작업을 거쳐 1947년 재개관했다. 우리가 마침 12시 전에 도착해서 12시와 16시 하루 두 번 열리는 작은 연주회에 참석할 수 있었다. 그 당시 쳄발로, 하프시코드와 작은 파이프 오르간 등을 설명해 주고 직접 연주해 주는데 그때 악기를 좋아하는 나로서는 직접 그 연주를 듣는 게 너무나 좋았다. 날이 추워서인지 우리와 독일 가족 두 팀만 있어서 더 생생하게 들을 수 있었다. 연주가가 예전 BBC에서 제작했고 EBS에서 방영했던 음악 기행 클래식에 나왔던 연주가로서 세월이 흘러 음악에도 깊이가 더해진 것 같았다. 연주를 듣고 바흐 하우스를 천천히 구경하고 연결된 기념관으로 넘어가서는 이어폰으로 음악 감상을 했다. 어제에 이어 바흐가 생활했던 공간 속에서 음악을 듣는 호사를 누리다니 감격스러웠다.

EBS 음악기행 클래식에 출연했던 바로크 음악 연주가와 함께

바흐 레스토랑이 쉬는 날이라 기념관 안내 직원에게 근처 식당 중 맛있는 곳을 추천해 달래서 한 곳을 추천받아 갔다. 그곳은 독일 정통 요리를 파는 식당으로 내부는 꼭 스머프에 나오는 아늑한 느낌이었다. 소시지와 돼지 목살 스테이크, 연어 감자전을 주문했는데 감자와 양배추 절임까지 엄청 푸짐하게 나와서 다 먹으니 배가 상당히 불렀다. 나와 아이는 오렌지 환타, 아내는 라들러를 마셨다. 든든하게 배를 채우고 나오니 바깥의 칼바람도 그리 춥지 않게 느껴졌다. 오후에는 바르트부르크성으로 트래킹 하는 일정이었다. 산 위에 성까지 걸어서 올라가는데 시내에서 40분 정도가 걸렸다. 꼭 우리나라 도시에 하나씩 있는 도심 야산 산책로 같은 느낌이었다. 올라가는 건 일이 아니었지만 불어오는 바람에 두 뺨은 울긋불긋해지고 얼얼했다. 아이는 힘든 내색하지 않고 조잘거리며 잘 올라왔다.

아늑한 식당에서 따뜻한 식사

바르트부르크성(Wartburg)은 'Burg' 자체가 성이란 뜻이어서 조금 이상한 번역이지만, 우리도 불국사를 번역할 때 편의상 'Bulguksa

Temple'로도 번역을 하기 때문에 그리 틀린 표현은 아닌 듯했다. 1067년에 축성되어 여러 중세 양식이 혼합된 채 이어져 오고 있는 성이며 옛이야기로는 루트비히 데어 슈프링어 백작이 성을 짓기 좋은 산이라 생각되어 자기 영토에서 흙을 가져와 뿌린 다음 성을 지었다고 했다. 루트비히 4세의 부인이었던 성녀 튀링겐의 엘리자베트의 삶을 표현한 모자이크도 있었으며, 1521년 교황에게 파문당한 마르틴 루터가 보름스 회의 이후 피난 생활 당시 그리스어 신약 성서를 독일어로 번역해 근세 독일어의 기초를 쌓았던 곳이었다. 그리고 음유 시인(Minnesänger) 대회가 열렸던 곳으로 매우 유명해서 1842년 여행 중에 이곳에서 잠시 머무르던 바그너에게 영감을 주어 오페라 탄호이저(Tannhäuser)에도 영향을 주었다.

루터와 바그너가 스쳤던 곳

성에서 바라본 아이제나흐 시가지 풍경이 목가적이며 소박하게 느껴져 정감을 주었다. 올라가는 동안 우리는 그저 옛날 역사를 짚어보려고 가는 거지만 이 길을 올랐을 루터는 얼마나 마음 좋았을까 생각되었다. 그리고 떨리는 손으로 성서를 독일어로 번역하면서도 언제 들이닥칠지 모를 불안감이 있었을 것이라 상상해 봤다. 성은 그리 크지 않아서 둘러보는데 오랜 시간이 걸리진 않았다. 다시 시내로 한참 내려와서 카페로 들어갔다. 길 찾으려고 손으로 핸드폰을 계속 하니 손가락이 굳어가는 듯했다. 나와 아내는 글뤼바인을 마시면서 몸을 녹였고, 아이는 딸기 파르페로 젊음을 과시했다. 잠깐 쉬고 기차 시간이 저녁 6시라서 5시쯤 나와서 역으로 갔다.

역에 있는 편의점에서 간단하게 소시지와 빵, 음료수를 사서 기차를 탔다. 역이 작아서 서점, 편의점, 카페, 피자가게 딱 이것만 있었다. 베를린까지 가는 기차였는데 우리는 한 시간을 타서 라이프치히에서 내리면 됐다. 테이블 좌석에 앉아 간단한 저녁 요기를 하고 오늘 일정을 끝냈다. 어제와 오늘은 이번 여행에서 바흐를 느끼기 위한 핵심 구간이었는데 만족스럽게 끝난 듯했다. 독일은 바흐, 괴테 그리고 루터였다. 내일 아침은 독일의 수도 베를린으로 가는 여정을 시작으로 독일의 마지막 도시 여행을 하게 되었다. 그리고 베를린에서 우리가 찾고자 한 주제라고 하면 평화이며 역설적이게도 인물로 꼽자면 히틀러로서 역사에 대한 반면교사가 될 듯했다.

아이제나흐의 여기

우리가 걷고, 바라본 곳들

니콜라이문(Nikolaitor)

니콜라이 교회(Nikolaikirche)

게오르그 교회(Georgenkirche)

루터 하우스(Lutherhaus)

바흐 하우스(Bachhaus Eisenach)

바르트부르크성(Wartburg)

평화를 이룬 독일의 심장

2024년 1월 9일(화)(6일째)-라이프치히에서 베를린

어제 여행 중 처음으로 금주를 한 덕분인지 푹 자고 아침 7시 전에 일어났다. 여유 있게 짐을 싸고 철학과 음악의 도시 라이프치히에서 자유와 해방의 도시 베를린으로 갈 채비를 마쳤다. 호텔 체크 아웃을 하고 나오니 시원한 아침 공기가 폐에 가득 찼다. 좋았던 이 도시를 떠나는 게 아쉽기는 했다. 호텔이 바로 역 옆이어서 도로만 건너면 역으로 들어갈 수 있었다. 아침 식사를 위해 주문을 하는데 독일어를 할 줄 몰라서 띄엄띄엄 읽으며 소시지 빵 3개와 닭다리 튀김을 주문했다. 먹고 나서 아이는 별 5개에 5개를 준 만족스러운 식사였다고 했다. 소시지와 닭튀김이 있고 채소 하나 없는 식단이기 때문이다. 아이는 케첩의 토마토, 빵의 밀이 있기 때문에 채소가 있었다는 너스레를 떨었다.

라이프치히를 떠나기 전

기차를 타기 전 카페에 들러서 커피 한 잔 마시며 철도 파업으로 포츠담 가는 문제를 아내와 의논했다. 아이는 지루한 채로 있다가 탑승 시간이 되어서 가자는 말에 벌떡 일어났다. 여유롭게 기차를 타고 가는데 바깥 풍경 중 어떤 강을 지나가길래 지도를 찾아보니 엘베강이었다. 아내는 호프집 엘베강을 떠올리며 재미있어했다. 독일 남부 뮌헨에서 북부 함부르크까지 가는 ICE를 타서 우리는 한 시간 후 베를린 중앙역에 내렸다.

사방이 뚫린 베를린역

중앙역을 지상과 지하가 다 보일 수 있게 만든 베를린(Berlin)은 독일의 수도이자 최대 도시로 런던, 파리와 더불어 유럽의 대도시를 형성하는 곳이었다. 베를린의 정식 명칭은 베를린주여서 우리나라 서울특별시와 비슷한 위치라고 할 수 있다. 베를린이라는 지명은 옛 슬라브 계열 민족의 언어로 물기가 많은 땅을 가리키는 'Berlin'에서 유래했다. 하지만 새끼 곰을 뜻한다고 알려져 도시 문장에는 새끼 곰이 들어가 있고 우리도 흔히 떠올리면 곰을 연상했다. 역 밖으로 나와서 시내버스를 타고 숙소로 이동했다. 시내버스가 우리나라 버스 2대를 붙인 듯한 길이로 운전하는데 대단해 보였다.

베를린 도착

베를린 숙소는 호텔이 아니라 직접 우리가 밥해 먹을 수 있는 곳으로 현지인 느낌을 살릴 수 있는 곳이었다. 짐을 풀고 빨래를 세탁기에 돌려놓고 나왔다. 우리가 베를린에서 주로 방문할 곳들은 나치 독일 관련한 장소들인데 그 첫 번째는 홀로코스트 타워였다. 숙소에서 조금 걸어가니 이내 모습을 드러냈다. 베를린 홀로코스트 타워는 폴란드계 유대인 건축가 다니엘 리베스킨트가 설계한 건축물로, 2005년 5월 12일 완공되었다. 나치 독일에 의해 학살된 유럽의 유대인 600만 명을 추모하기 위해 세워진 타워는 높이 24m의 텅 빈 콘크리트 구조물로서 외관은 지그재그 형태로 이루어져 있으며, 타워의 내부는 좁고 어두운 공간으로 천장의 작은 틈새로만 빛이 들어왔다.

바로 옆에 있는 베를린 유대인 박물관(Jüdisches Museum Berlin)은 유럽에서 가장 큰 유대인 박물관으로 베를린 장벽이 있는 곳에 세워졌으며 2001년 개관했다. 독일 내 유대인의 기나긴 역사와 함께 설치 미술이 전시되어 있는데 이스라엘 예술가 카디쉬만이 공간 바닥에 제작한 10,000개의 강철 얼굴을 깔아놓아서 가장 인상 깊은 장소였다. 전시는 유대인들이 유럽에 퍼져 살게 된 때부터 유럽인들과 어울려 살고, 나치 독일 치하 당시 학살당하고 이후 현재까지의 삶을 기록과 유물을 통해 자세히 알려주었다. 아이는 관심 있게 보며 오히려 나에게 빨리 전시를 본다고 뭐라고 할 정도였다.

홀로코스트 참상을 알 수 있는 곳

신호등 사람 암펠만

박물관을 나와서 체크포인트 찰리로 걸어갔다. 매서운 칼바람이 불어도 이미 단련된 우리에게 걸림돌이 되지 않았다. 가는 길에 유명한 베를린 신호등 암펠만이 깜빡여서 보는 재미가 있었다. 암펠만(Ampelmann)은 신호등(Ampel)과 사람(Mann)이 합쳐진 단어로 중절모를 쓴 신사의 모습을 하고 있다. 교통사고를 줄이기 위해 1961년 동독에서 처음 사용되었는데 통일 이후 없어질 위기에 처했다가 살아나서 베를린의 상징이 되었다. 걸어서 간 체크포인트 찰리(Checkpoint Charlie)는 독일의 분단 시대인 냉전 시기 베를린 장벽의 검문소 중 가장 유명한 곳을 연합군이 지칭했던 지명이었다. 공식 지명은 프리드리히-짐머 거리 국경 검문소이며 찰리는 NATO의 음성 기호 문자에서 따왔다. 베를린 장벽은 동독 사람들이 서베를린으로 가지 못하게 하려고 만든 건데, 그 검문소는 냉전과 분단의 상징으로 유명했으며 1961년 베를린 위기 당시 미국과 소련의 장갑차 대치가 벌어진 곳이기도 했다. 오늘날은 수많은 사람이 찾는 곳으로 분단 시절을 상기시키는 장소가 되었다.

3인 3포즈

우리의 마지막 목적지는 베를린 스토리 벙커(Berlin Story Bunker) 였는데 예전 벙커 그대로 보존한 곳은 아니었다. 이곳 말고 실제로 히틀러가 자살하기까지 있던 벙커인 퓌러벙커(Führerbunker)가 근 처에 자리 잡고 있는데 퓌러벙커 자체가 독일의 패망 이후 소련과 동독에 의해 파괴되고 매립되어 흔적을 알아볼 수 없어서 이 벙커가 그 당시 모습을 보여주고 있었다. 퓌러(Führer)는 우리말로 총통, 대 개 히틀러를 가리키는 말이라고 볼 수 있다. 퓌러벙커는 베를린 중 심부에 위치한 국가수상부 구청사 옆에 있었으며, 약 8.2m 깊이의 지하에 있었다. 약 4m 두께의 철근 콘크리트로 둘러싸여 정문과 정원 으로 통하는 비상구가 있었다. 1차 건축이 1936년에 끝났고, 1943 년까지 2차 건축이 이어졌는데 1945년 4월 30일, 히틀러가 그 전날 에 결혼하여 부인이 된 에바 브라운과 함께 벙커 내부에서 본인은 권총으로, 에바 브라운은 독약을 마시고 자살한 장소로 유명했다. 그 리고 나치 독일의 선전 대명사이자 2대 국가수상이었던 괴벨스 부 부가 자신들의 아이 6명을 타살했던 곳이었다. 지금은 주차장처럼 변한 퓌러벙커의 모습을 볼 수 없는 것은 독일이 히틀러의 직접적인 생애 흔적에 대해 굉장히 엄격하고 네오나치의 발호를 경계하기 때 문이었다. 그래서 이 스토리 벙커를 통해서 그 시대 모습을 살펴볼 수 있었다.

평소보다 조금 일찍 일과를 마치고 우리는 독일 마지막 도시 입성을 자축하는 파티를 열기 위해 마트에 갔다. 샐러드, 토마토, 포도, 블루 베리, 소고기 등심, 닭 다리, 연어, 버섯, 빵, 소시지, 와인, 샴페인, 맥주, 주스, 레모네이드, 파스타면, 달걀, 냉동 피자, 각종 양념 등을 두둑이 샀다. 엄청 많이 사서 큰 마트 가방에도 다 넣지를 못했다. 다음 여행에는 마트 장바구니를 하나 챙겨 와야 할 듯싶었다. 일단 숙소로 돌아와 정리를 하고 다시 다른 마트로 가서 우유, 물, 라면 등을 사 왔다. 정말 많이 샀는데 다해서 109유로 정도가 나왔다. 우리나라였다면 30만 원은 족히 될 양이었다. 숙소 냉장고에 가득 채우니 꼭 이곳에 사는 기분이 들었다.

다 해서 15만 원

샤워를 하고 본격적인 요리에 들어갔는데 그때야 프라이팬을 가져오지 않은 게 생각났다. 작년 여름에 여행 갈 때마다 쓰려고 산 여행용 프라이팬이 절실하게 그리워지는 순간이었다. 이가 없으면 잇몸으로 하는 법이니 일단 하나 있는 여기 프라이팬으로 연어와 소고기 등심 스테이크를 구웠다. 냄비에는 풍기 오일 파스타를 하고 다른 냄비는 소시지를 삶았다. 소금, 마늘, 고추, 후추, 오일만 있으면 만사형통이었다. 그렇게 한 상 차려내고 나와 아내는 샴페인으로, 아이는 오렌지 주스로 독일의 마지막 도시 여행을 자축했다. 여행 와서 현지 숙소에서 머물며 그 동네 마트에서 장을 봐서 요리해서 먹는 것이 우리에겐 또 하나의 즐거움이었다. 식탁에서 같이 음식을 먹으며 대화하는데, 이렇게 여행 다닐 수 있다는 것에 참 감사함을 느꼈다.

Hallo, Berlin!

2024년 1월 10일(수)(7일째)-베를린

어제 파티 덕분인지 잠을 푹 자고 아침에 일어났다. 오히려 약간 졸리기까지 해서 완전히 시차에는 적응한 듯했다. 아침 식사로 어제 장 봐온 딸기잼 바른 빵과 청포도, 삶은 달걀, 소시지, 양배추 절임, 샐러드, 커피와 코코아로 나름 푸짐하게 먹었다. 먹고 있는데 문을 두드리는 소리가 들려 나가 보니 현관문 페인트 칠을 하려고 인부가 와있었다. 바깥이라 호스트가 말을 안 해줬는지 우리는 모르는 일이어서 일단 알겠다고 하고 호스트에게 물어보는 해프닝이 있었다. 생각해 보니 마드리드에서는 보일러, 리스본에서는 문 손잡이를 고친다고 인부들이 온 적이 있었다. 설거지까지 하고 나오니 이미 오전 한참이었다. 베를린을 쭉 걸으며 둘러보기로 한 날이라 핫팩을 까며 다들 각오를 단단히 했다.

그냥 보면 모를 역사의 흔적

베를린 둘러보기 첫 시작은 퓌러벙커(Führerbunker)였다. 이제는 주차장과 아파트가 들어선 공터에 팻말 하나가 이곳이 제2차 세계 대전 당시 히틀러가 살고 최후를 맞이했던 벙커였다는 걸 설명해 줬

85

다. 아이가 이곳이 퓌러벙커 맞냐고 개 산책을 나온 동네 주민에게 물어보니 입구가 막혀있어서 팻말로만 알 수 있다고 친절히 알려줬다. 이 공간을 보니 히틀러에 대해 경계는 하되 기억을 삭제하기 위한 독일 정부의 노력이 보였다. 완전히 공터로 변해서 모르고 지나쳤다면 이곳이 히틀러가 자살한 곳인지 몰랐을 것이었다. 우리는 곧바로 근처에 있는 홀로코스트 추모 공원으로 걸어갔다.

학살된 유럽 유대인을 위한 기념물(Denkmal für die ermordeten Juden Europas)은 유대인을 기리는 것 중에서 참 인상 깊었던 장소였다. 홀로코스트로 살해된 유대인 희생자를 추모하기 위해서 2005년에 만들어졌다. 2,711개의 어두운 콘크리트 비석이 격자 모양으로 늘어서 있는데 다양한 높이로 세워져 있었다. 나치 독일이 지배하던 시절 유대인들이 600만 명 넘게 희생되었기 때문에 독일은 이에 부채 의식을 지고 지금까지 보상 및 역사 교육을 게을리하지 않았다. 이로써 독일은 패전 이후 새로운 유럽의 지도 국가로 발돋움할 수 있었는데 같은 전범 국가인 일본이 동아시아에 보인 행보를 보면 대조가 되었다. 비석 사이를 걸어가니 깊이가 달라지면서 높아질수록 공허함과 외로움이 배가 되었다. 아이는 미로 공원 같다면서 재미있어했지만, 그 의미를 알려주면서 희생당한 사람들을 생각해보게 했다. 추모 공원에서 나오니 브란덴부르크문이 보였다. 이때부터 여행객들이 조금씩 보이기 시작했다.

콘크리트 파도 속에 있는 느낌

브란덴부르크문(Brandenburger Tor)은 독일의 상징이자 베를린의 상징으로 전 세계적으로 유명한 곳이라 그런지 사람들이 꽤 오갔다. 미국 뉴욕 자유의 여신상, 프랑스 파리 에펠탑, 영국 런던 빅벤 등 도시를 넘어 그 나라를 떠올릴 정도의 인지도를 지닌 브란덴부르크 문은 프로이센 왕 프리드리히 빌헬름 2세가 지었다. 그리스 아테네의 아크로폴리스 관문인 프로필라이아에서 영감을 받았다고 했다. 문 위에 있는 네 마리 말이 끄는 전차(Quadriga)에 탄 여신상은 평화를 형상화에 조각한 것으로 1806년 프랑스의 나폴레옹에게 빼앗겼다가 다시 찾은 것이었다. 그러면서 올리브 나무 관은 철 십자가로 대체되어 여신이 들고 있게 되었다. 나치 독일 시절에는 이 문으로 행진하는 것을 자주 선전용으로 촬영해 두었다. 제2차 세계 대전 후에는 장벽으로 둘러싸인 동서 베를린 사이의 관문으로 역할을 했는데 1971년에 폐쇄되었다가 동독이 무너진 이후 다시 열리게 되어 통일의 상징으로 자리 잡았다.

베를린에 왔다

베를린은 연합국이 점령한 서베를린과 소련이 점령한 동베를린으로 나뉘었고 동독 안에 있던 베를린은 동독에서 서베를린을 둘러싼 장벽을 둘렀는데 이것이 베를린 장벽이었다. 장벽은 1961년 8월 13일 지어지기 시작했는데 3.6m가 넘는 높이의 거대한 콘크리트 벽이 100km 넘게 세워졌고 이 장벽이 세워지기 전에 350만 명의 동독인들이 국경을 탈출했다. 1989년 베를린 장벽이 무너지며 11월 9일 모든 동독인은 서독과 서베를린을 방문할 수 있다고 발표했다. 장벽의 철거는 1990년 6월 13일에 시작되어 1994년에 끝났다. 베를린 기념품 가게를 보면 이 장벽을 쪼개어 파편으로 팔고 있었다.

브란덴부르크문 근처에는 의사당이 자리 잡고 있는데 국가의회 의사당(Reichstagsgebäude)은 1894년에 완공되었으며 제1차 세계 대전 이후 제국이 해체되고 바이마르 공화국을 선포한 곳이었다. 음모론이 있으나 나치 독일 집권 직전 당시에는 공산당원의 방화가 있었으며 이후로는 의사당으로 쓰이지 않았다. 제2차 세계 대전 당시 크게 파괴되었으며 분단 당시 서독 위치에 있었으나 바로 옆에 베를린 장벽이 있어서 다시 하나가 될 독일을 기다리는 장소가 되었다. 서독의 수도는 본으로 지정되어 이 의사당 건물은 폐허처럼 변해갔다가 통일 이후 재건축을 거쳐 1999년 다시 의회가 열렸다. 브란덴부르크문에서 쭉 뻗은 운터 덴 린덴(Unter den Linden) 대로를 따라 걷는데 러시아 대사관 앞에 있는 평화 광장에는 러시아-우크라이나 전쟁에 관련 피해 사실을 전시하고 있었다. 아직도 전쟁 중이라는 사실을 계속 상기시키고 있었다.

제대로 겨울 공기를 호흡하며 대로를 따라서 쭉 걸어오니 베를린 훔볼트 대학이 보였다. 베를린 훔볼트 대학교(Humboldt-Universität zu Berlin)는 베를린에 위치한 공립 대학으로서 1810년 프로이센 왕국의 교육 개혁가인 빌헬름 폰 훔볼트에 의해 설립되었다. 이 대학은 12개의 학부로 구성되어 다양한 학문 성과를 이루고 있는데 무엇보다 유명한 것은 노벨상 수상자 57명을 배출한 세계적인 명문 대학이라는 것이었다. 칼 마르크스, 베르너 하이젠베르크, 알베르트 아인슈타인 등 세계적인 학자들이 이 대학에서 공부하고 가르쳤다. 뭔가 아이도 석학이 되었으면 하는 마음을 담아 사진 한 장을 남겼다.

쭉 걸어가니 프리드리히 2세 동상을 지나 곧 슈프레강이 나타났다. 그건 박물관 섬에 왔다는 뜻이었다. 흔히 라인강의 기적으로 인해 베를린을 흐르는 강이 라인강인가 하는 착각을 하지만 그건 옛 서독의 수도 본에 흐르는 강이고 베를린은 슈프레강이 흘렀다. 박물관 섬(Museumsinsel)은 섬(Island)이라는 명칭이 다소 이상하지만, 슈프레 섬의 북쪽 끝에 위치한 5개의 박물관을 지칭하는 말이었다. 이곳은 1999년에 유네스코 세계문화유산으로 지정되었다. 첫 번째 박물관인 알테스뮤제움(Altes Museum)은 1797년에 프리드리히 빌헬름 2세의 명으로 결정되었으며 1823년부터 고전주의 양식으로 지어지기 시작했다. 로마 판테온 신전을 연상시키는 이 건물에는 그리스와 로마 시대 유물, 예술품들이 보관되어 있다. 그보다 북쪽에는 노이에스뮤제움(Neues Museum)이 있는데 1843년에 지어지기 시작했다. 여기에는 고대 이집트와 유럽의 선사시대 유물들이 소장되어 있다. 섬 중앙에 있는 옛 국립미술관(Alte Nationalgalerie)은 1867년부터 지어졌다. 여기에는 고전주의부터 인상주의, 초기 모더니즘까지 다양한 작품이 전시되어 있다. 북서쪽에는 보데 박물관(Bode-Museum)이 있는데 네오바로크 양식으로 1897년부터 지어졌다. 마지막으로 가장 유명한 박물관은 페르가몬 박물관으로 독일의 박물관 하면 많이 연상하는 곳이기도 했다. 1910년부터 지어졌으며 바빌론의 성문이었던 이슈타르 문(Ishtar Gate) 등 현장 발굴된 거대한 유적을 그대로 옮겨놓은 것으로 유명했다. 현재 공사 중이라서 관람은 어려웠다.

비티칸 성 베드로 대성당 같은 위용

이곳의 대장이라 할 수 있는 베를리너 돔은 감탄을 자아내는 위용을 드러냈다. 가장 큰 개신교 교회인 베를리너 돔(Berliner Dom)은 대성당이라고 불리지만, 우리가 아는 일반적인 성당이 아니고 루터 교회가 되었다가 칼뱅파 교회가 된 다음 현재는 프러시아 복음주의 교회로서 1450년에 완성되었다. 1905년 독일제국 황제였던 빌헬름 2세의 명으로 거대한 돔을 갖춘 모습이 되었다. 제2차 세계 대전 폭격을 받아 크게 파손되었지만, 복구되어 지금 모습을 보여주고 있다. 복구 기간도 꽤 되어 1975년부터 2008년까지 복원을 했다. 지금도 고치는 곳이 있어서 부분적으로 보수 공사를 하고 있었다. 청동빛이 도는 거대한 돔과 화려한 벽면이지만 파손 전에는 더 화려했다고 하니 그 모습이 상상이 안 갔다. 프로이센 왕실로 유명한 호엔촐레른(Hohenzollern) 가문의 묘지를 겸하는 교회였기에 지금도 90개가 넘는 호엔촐레른 가문의 관들이 자리 잡고 있다. 또한 7,269개의 관으로 이루어진 파이프 오르간은 유럽 최대 오르간으로 유명했다.

돔 안에 있는 카페에서 나와 아내는 커피, 아이는 레모네이드를 마시며 잠깐 쉼표를 찍었다. 뜨끈한 카페 라테가 목으로 넘어가니 훈훈한 기운이 감돌았다. 한 시간 정도 쉰 다음 알렉산더 광장을 향해 걸어갔다. 날이 살짝 풀려서 걷기 좋은 온도가 되었다. 걷다 보니 멀리 텔레비전탑이 나왔다. 베를린 텔레비전탑(Berliner Fernsehturm)은 방송탑으로 높이 368m에 달해 독일에서 가장 높은 구조물인데, 우리나라 남산 타워나 일본의 도쿄 타워 같은 포지션이었다. 1969년에 동독 정부에 의해 건설되었으며 최초 인공위성인 스푸트니크를 모델로 디자인되었다. 타일 형식의 스테인리스 돔에 햇빛이 비치면 반사되는 빛이 십자가 형태라서 교황의 복수라는 별명이 붙었다. 이는 동베를린 교회에서 십자가를 철거한 동독 정부에 대한 신의 보복이라고 믿었기 때문이었다.

탑을 지나니 알렉산더 광장(Alexanderplatz)이 나타났다. 알렉산더 광장은 미테 지역의 중심지로서 지역 상인과 농부들의 시장이었던 곳이었다. 프리드리히 빌헬름 3세 통치 당시 러시아 알렉산더 1세가 1805년 방문해서 이를 기념해 이름을 붙였다. 제1차 세계 대전이

끝나고 1920년대 힘들었던 독일의 대공황 시기 베를린 모습을 쓴
알프레드 되블린의 소설 '베를린 알렉산더 광장'의 배경이 되기도
했다. 우리는 잠시 출출해서 아내가 추천한 커리부어스트 가게에 가
서 두 가지 소시지와 감자튀김을 주문해서 먹었다. 커리소스를 팍팍
묻혀서 먹으니 진한 맛이 입안을 감돌았다.

베를린 명물 커리부어스트

광장의 랜드마크인 세계시간 시계는 1969년 10월 27일에 개장했으
며, 세계에서 가장 큰 세계 시계로 알려져 있다. 알렉산더 광장에 위
치하고 있으며, 높이가 10.6m, 지름이 10m에 달했다. 시계는 24개
의 시간대를 나타내는 24개의 원반으로 이루어져 있으며, 각 원반에
는 해당 시간대의 도시 이름과 현재 시간이 표시되어 있다. 시계는
24시간마다 한 번씩 표시가 바뀌며, 12시 정각에는 모든 원반이 동
시에 바뀌었다. 명성에 비해 생각보다 크거나 멋지게 보이지는 않아
서 감탄을 자아내지는 못했다. 광장에서 우리는 멀리 떨어져 있는
이스트 사이드 갤러리까지 버스를 타고 갔다.

15분 정도 버스를 타고 도착한 이스트 사이드 갤러리(East Side Gallery)는 1990년 9월 28일, 베를린 장벽이 무너진 직후부터 105 명의 세계 각국의 예술가들이 참여하여 벽화를 그리기 시작한 명소 였다. 길이가 1.3km에 달하는 장벽에 그려진 벽화는 자유, 평화, 사 랑, 희망 등 다양한 주제를 담고 있다. 가장 유명한 '형제의 키스'에 서 우리도 사진을 남겼다. 이 작품은 소련 공산당 서기장 브레즈네 프가 1979년 동독 공산당 서기장 호네커에게 축하 입맞춤을 한 것 을 그린 건데 양국의 우정을 보여주는 모습으로 유명해서 벽화로 남 겨졌다. 다시 버스를 타고 마지막 저녁 산책을 위해 베를린 전승 기 념탑에서 내렸다.

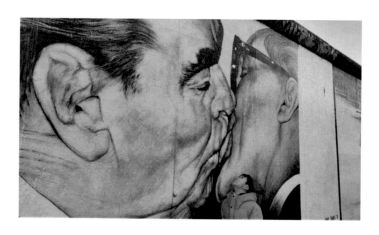

키스를 향한 3인

베를린 전승 기념탑(Berliner Siegessäule)은 브란덴부르크 문에서 쭉 뻗어나간 도로 끝에 있었는데 화물연대 파업을 하는지 도로 가운 데에 화물 트럭이 많이 있었다. 기념탑은 티어가르텐 공원에 위치하며 프로이센이 보오전쟁, 보불전쟁 등 유럽 국가들과 전쟁에서 승리한 것을 기념하기 위해 지어진 탑으로 빌헬름 1세가 1873년에 완성되었다. 본래 국회의사당 앞 광장에 있었지만, 나치 독일이 게르마니아 수도 계획에 따라 현 위치로 옮긴 게 지금까지 자리를 지키고 있었다. 탑 꼭대기엔 승리의 여신상이 있으며 높이는 8.3m에 달했고, 전체 높이는 67m를 넘었다. 탑의 4개 부분은 사암 블록인데 3개는 3번의 전쟁에서 승리한 것을 기념한 것이고, 4번째는 1938년 히틀러가 오스트리아를 함락한 기념으로 금으로 장식한 것이다.

승리의 여신

기념탑에서 브란덴부르크문까지 25분 정도 대로를 따라 걸어오니 멋진 조명이 켜진 문을 만날 수 있었다. 숙소까지는 걸어서 30분 정도 걸리는데 오늘 2만 보 걷기를 약속했기 때문에 다들 열심히 걸어왔다. 저녁 식사로는 닭 다리 스테이크, 풍기 파스타, 샐러드로 와인과 함께 즐겼다. 아이가 무척 먹고 싶어 한 닭다리는 내 손바닥만 했는데 7개를 삶고 껍질을 벗기고 양념 시즈닝을 해서 다시 팬에 구워냈다. 제대로 즐긴 베를린 나들이여서 다들 만끽스럽게 밤을 만끽했다.

베를린의 여기

우리가 걷고, 바라본 곳들

홀로코스트 타워(Holocaust Tower)

베를린 유대인 박물관(Jüdisches Museum Berlin)

베를린 스토리 벙커(Berlin Story Bunker)

체크포인트 찰리(Checkpoint Charlie)

퓌러벙커(Führerbunker)

학살된 유럽 유대인을 위한 기념물
(Denkmal für die ermordeten Juden Europas)

국가의회 의사당(Reichstagsgebäude)

베를린 훔볼트 대학교(Humboldt-Universität zu Berlin)

베를리너 돔(Berliner Dom)

세계시간 시계(Weltzeituhr Berlin)

이스트 사이드 갤러리(East Side Gallery)

베를린 전승 기념탑(Berliner Siegessäule)

브란덴부르크문(Brandenburger Tor)

Brandenburg Concerto

2024년 1월 11일(목)(8일째)-포츠담&브란덴부르크

찌뿌둥하게 생긴 풍경을 바라보며 아침 식사를 블루베리, 방울토마토, 딸기잼 바른 식빵, 삶은 달걀과 소시지, 우유를 끓여 넣은 커피와 코코아로 하고 나서 포츠담 일정을 살펴보았다. 상수시 궁전 말고 임시 휴업하는 곳이 많아서 가야 하는지 고민이 되어서 가지 말까도 생각했지만, 포츠담 가는 기차가 있어서 가기로 했다. 철도 파업으로 인해 내일 가는 체코 프라하행 열차가 취소되었는데 포츠담 가는 건 철도청이랑 상관없는 열차인가 하는 생각이 들었다. 아마 광역 전철인 듯싶었다. 포츠담 직행 버스가 없어서 택시 타고 갈까 하는 생각도 했는데 잘 되었다. 베를린 중앙역에서 포츠담 가는 티켓을 끊고 무사히 20분을 달려 포츠담에 도착했다.

베를린 포즈

베를린은 눈발이 살짝 날리고 있었는데 포츠담 역시 겨울 분위기가 물씬 풍겼다. 서리가 내려앉은 앙상한 나무들이 운치를 자아냈다. 포츠담(Potsdam)은 브란덴부르크 주의 주도이지만 인구는 약 18만 명으로 소도시로서 베를린 남서쪽으로 25km 떨어진 근교이기에 그리 멀지 않고 상수시 궁전 때문에 방문하고 싶었다. 우리에겐 1945년 소련, 영국, 미국 등이 참여해서 전후 질서를 논의한 포츠담 회담으로 유명한 곳이었다. 프로이센 왕실 호엔촐레른 가문의 피서지이기도 해서 많은 유적이 남아 있는 곳이기도 했다. 그리고 제2차 세계대전의 폭격 피해를 많이 받지 않아 옛 모습을 간직하고 있는 편이었다.

겨울 왕국 같은 설경

역에서 나와 상수시 궁전으로 가기 위해 도심을 걷는데 하얗게 내린 서리로 인해 다른 세상이 온 듯했다. 멀리 보이는 성 니콜라스 교회가 잡힐 듯 말 듯 하다가 가까이 보이니 도시 규모에 맞지 않게 정말 거대해 보였다. 성 니콜라스 교회(St. Nikolaikirche)는 현재 루터 교회로서 성 니콜라스에게 헌정되었다. 1837년에 완공되어 지금까지 이어져 오는데 제2차 세계 대전 당시 영국의 공습과 소련의 포격으로 인해 상당 부분 파괴되었고, 재건되어 1981년 다시 복구되었다. 교회를 거쳐서 조금 더 걸으니 브란덴부르크문(Brandenburger Tor Potsdam)이 나왔다. 베를린의 브란덴부르크문과 비교하면 규모면에서 크게 밀리지만, 브란덴부르크주이기 때문에 어찌 보면 지금은 정통성을 더 가지는 것 아닐까 생각을 해봤다. 브란덴부르크문을 지나 루이제 광장으로 들어갔다. 루이제 광장(Luisenplatz)은 1805년에 루이제 왕비를 기리기 위해 지어졌다. 루이제 왕비는 프로이센의 프리드리히 빌헬름 3세의 왕비로, 프로이센의 국민 영웅으로 여겨졌다. 광장 중심에는 루이제 왕비의 동상이 있는데 1851년에 베를린의 조각가 에두아르드 폰 렌틀이 제작했다. 광장의 주변에는 다양한 건물이 있는데 대표적인 건물로는 프로이센의 국립극장, 루이제 왕비 기념관, 프로이센의 궁전 등이 있다. 브란덴부르크문은 파리 에투알 개선문을 닮았으나 규모는 훨씬 아담했다.

아련히 보이는 성 니콜라스 교회

궁전 구역 안으로 들어가도 꽤 걸어가야 해서 오들오들 떨면서 드넓은 정원을 지나 드디어 내가 어린 시절 백과사전에서 봤던 상수시 궁전이 눈에 들어왔다. 상수시 궁전(Schloss Sanssouci)은 프로이센 홀엔촐레른 왕가의 여름 궁전으로 1747년에 세워졌다. 당시 왕이었던 프리드리히 대왕은 우리에게 절대왕정을 세웠던 왕으로 잘 알려져 있는데 프랑스 문화에 심취해 볼테르와 같은 프랑스 계몽주의 문인들과 교류했다. 상수시 궁전은 프랑스어로 '근심 없는 궁전'이라는 뜻이며 파리 근교에 위치한 베르사유 궁전을 모티브로 해서 건설되었다. 내부는 당시 유행하던 로코코 양식을 보여주고 있으며, 독일과 프로이센이 자랑하는 궁전이라고 할 수 있다. 어렸을 적에 베르사유 궁전과 더불어 유럽의 궁전으로 소개를 본 적이 있어서 꼭 가보고 싶었던 곳이었다. 궁전만큼 유명한 것이 포도나무 테라스라는 정원인데 겨울이라 그런지 제대로 본모습을 볼 수는 없었다.

프로이센 왕국 궁전의 정수

위엄 있는 바로크 양식을 넘어 로코코 양식의 정수를 보여주듯 섬세하고 세련되게 묘사된 모든 게 감탄을 자아냈으며, 특히 마지막 과일, 꽃, 동물로 묘사된 침실에서는 오랫동안 바라보게 만들었다. 궁전 자체는 크지 않아도 그 안에 모든 기교가 다 들어가 있는 듯했다. 상수시 궁전 외에 다른 곳들은 공사 중이라 휴업하는 곳이 많아서 아쉽긴 했지만, 포츠담을 온 이유의 전부였던 상수시 궁전을 볼 수 있어서 만족스러웠다. 예전 파리의 루브르를 봤을 때의 감동처럼 상수시를 봤을 때의 감동도 그에 못지않았다. 아이는 오디오 가이드를 들으며 나에게 오히려 설명해 주었다. 우리는 궁전을 나와서 시내 쪽으로 걸어갔다.

로코코의 극치

브란덴부르크문에서 성 베드로와 바울 교회까지 뻗어있는 브란덴부르크 거리를 걸어갔다. 복잡하지 않고 정감 있는 거리는 걷는 즐거움이 있었고 아내가 좋아한 거리였다. 그 끝에 위치한 성 베드로와

109

바울 교회(St. Peter und Paul-Kirche)는 르네상스 양식의 성당으로 1662년부터 1688년 사이에 프리드리히 빌헬름 1세의 명에 따라 지어졌다. 첨탑의 높이는 106m로, 포츠담에서 가장 높은 건물 중 하나였다. 평소 같았으면 안에 들어가서 구경했을 테지만 성당을 앞으로도 계속 봐야 하는 우리로서는 겉만 보고 넘어갔다.

바로 근처 나우너문(Nauener Tor)은 더치 쿼터(Dutch Quarter)에 가까운 거리에 있으며 만남의 장소로 현재 알려져 있다. 포츠담 대학교가 있어서 그런지 젊은 학생들이 많이 보였다. 눈에 띄는 더치 쿼터(Dutch Quarter)는 포츠담의 동네로 네덜란드 벽돌 건물로 구성되어 있으며 프리드리히 빌헬름 1세의 명령에 따라 1733년부터 1740년에 조성되었다. 거리를 보았을 때 붉은 벽돌 느낌이 미국 보스턴을 연상시키고 건물 양식은 네덜란드 스타일이었다. 여기에 있는 네덜란드 팬케이크 가게에 가서 잠시 몸을 녹였다. 그러고 나서 다시 포츠담 중앙역으로 간 다음에 갑작스럽게 정해진 브란덴부르크로 우리는 전철에 몸을 실었다.

원래 오늘 계획은 포츠담만 보는 것이었으나, 상수시 궁전 외에 다른 궁전 시설들은 보수 공사가 많아서 입장이 어려웠기에 시간이 남을 듯하여 다른 도시를 더 방문해도 될 듯싶었다. 그래서 결정한 것이 근처에 있는 브란덴부르크였다. 정식 이름은 브란덴부르크 안 데어 하펠(Brandenburg an der Havel)로서 수도권이라 할 수 있는 브란덴부르크주에 있으며 하펠강 연안에 위치하고 있는 작은 도시였다. 이곳은 슬라브족 거주지였다가 게르만족이 와서 살게 된 곳으로써 12세기에 설립되었으며, 브란덴부르크 변경백국의 수도였고, 15세기에는 프로이센 공국의 수도가 되기도 했다. 하지만 도시는 10만

명도 안 되는 작은 도시에다가 외국에 알려진 유명한 장소도 딱히 없어서 전철에서 내린 외국인은 우리뿐인 듯했다.

포츠담에서 브란덴부르크

음악적으로는 브란덴부르크 협주곡에 등장하는 지명으로 유명했다. 브란덴부르크 협주곡은 바흐가 작곡한 6개의 협주곡으로, 1718년부터 1721년 사이에 작곡되었다. 당시 브란덴부르크-슈베트의 변경백이었던 크리스티안 루트비히에게 헌정된 이 음악은 당시 이탈리아에서 유행하던 협주곡 형식을 바탕으로 하면서도 바흐만의 독창적인 음악적 기법을 활용했다. 각 협주곡은 독특한 악기 편성과 형식을 가지고 있으며, 대위법과 화성법의 뛰어난 사용으로 인해 음악적으로 매우 풍부하고 다채로웠다.

포츠담보다 더 진눈깨비가 내리는 브란덴부르크의 첫 시작은 공용 화장실이었다. 나와 아내는 화장실이 급했는데 유럽은 무료 화장실이 없어서 아이가 갖고 있는 동전으로 해결했다. 아이의 준비성 덕분에 지옥을 경험하지 않고 지옥 문턱에서 돌아왔다. 거리에는 사람들도 얼마 없어서 한산한 분위기를 자아냈다. 그리고 우리가 방문하는 곳마다 문이 잠겨서 들어가기가 어려웠다. 특히 브란덴부르크의 성 베드로와 바울 대성당(St. Peter und Paul-Kirche)은 이곳에서 가장 큰 중세 교회로서 1165년에 로마네스크 양식으로 시작하여 지금은 벽돌 고딕 양식이 멋진 성당인데 힘겹게 거기까지 갔지만, 문이 닫혀서 들어갈 수 없었다. 날은 춥고 눈발이 날리는데, 느껴지는 건 옷깃을 여미게 하는 바람뿐이라서 어디라도 들어가야 이 도시를 기억할 듯했다. 그래서 아직 저녁 식사를 하기에는 이르지만 우리는 맛집 식당을 찾아서 식사하러 들어갔다.

몸과 마음까지 녹여줄 식당에서 독일에서 유래한 햄버거와 슈니첼, 로컬 맥주와 독일 콜라인 프리츠 콜라(Fritz-Kola)까지 주문해서 배부른 식사를 즐겼다. 오늘이 독일의 마지막 밤이어서 아내는 맥주를 파울라너 헤레스와 둥켈레스 두 잔이나 주문했다. 아이가 주문한 햄버거는 두툼하고 양이 엄청나서 먹는데 시간이 꽤 걸렸다. 프랑스 사람이 느끼기에 독일 요리는 감자 요리라더니 이 식당도 감자가 푸짐하게 나왔다. 식사를 마치고 나오니 어느새 밤공기로 바뀐 시내에서 트램을 타고 다시 브란덴부르크역으로 왔다. 8.50유로 티켓 3장을 사서 베를린 중앙역으로 가는 전철을 타고 50여 분을 가니 마지막 밤을 보낼 베를린으로 다시 돌아왔다.

브란덴부르크를 기억하게 해 줄 요리

베를린 중앙역 앞 시내 버스 정류장에 도착한 41번 버스를 타고 우리 숙소가 있는 빌리 브란트 하우스 정류장에서 내려 마트에 잠깐 들렀다. 물과 초콜릿을 사고 다시 숙소로 돌아와서 짐 정리도 하고, 마지막 만찬으로 그제 마트에서 산 일본 라면과 소시지로 부대찌개 라면을 해 먹었다. 한국 라면을 팔면 좋겠지만 아예 팔질 않아서 아쉬운 대로 양배추 절임을 잔뜩 넣고 만들었더니 김치 라면과 비슷한 맛이 났다. 다들 땀 흘리며 싹싹 마무리했다. 이렇게 바흐, 괴테, 루터의 나라를 떠나서 내일 얀 후스의 나라로 가기 위한 잠을 청했다.

포츠담&브란덴부르크의 여기

우리가 걷고, 바라본 곳들

브란덴부르크문(Brandenburger Tor Potsdam)

상수시 궁전(Schloss Sanssouci)

더치 쿼터(Dutch Quarter)

나우너문(Nauener Tor)

브란덴부르크 대성당(Dom St. Peter und Paul)

동유럽의 보석, 프라하

2024년 1월 12일(금)(9일째)-베를린에서 프라하

지도를 보며 프라하에 도착해서 어떻게 다닐지 동선을 생각하다가 생각보다 늦게 잠을 청했다. 오전 6시에 맞춰 놓은 알람 소리에 일어나 베를린 마지막 아침 식사를 하고 짐 정리를 했다. 쓰레기 청소며 기본적인 확인을 하고 8시에 예약한 택시가 와서 30분을 달려 버스 터미널에 도착했다. 아침 출근 시간일 텐데 서울 같은 대도시 베를린에서 도로가 제대로 막힌 적을 못 본 것이 낯설었다. 그리고 보면 베를린을 돌아다닐 때 차가 밀린다는 경험을 한 적이 없어서 신기했다. 그리고 전쟁 이후 복구되어 그러겠지만 보행로도 넓어서 걷기 좋은 도시라고 느껴졌다. 이런 느낌은 독일에서 돌아다녔던 도시들에서 전반적으로 느껴졌다.

독일에서 체코로 출발

버스 정류장은 행선지가 많은지 플랫폼은 많았지만, 건물 자체는 흔한 기차역보다 훨씬 작고 우리나라 중소도시 터미널보다도 작아 보여서 유럽이 철도문화라는 게 실감 났다. 27번 플랫폼에서 조금 기다리니 우리를 프라하로 데려다 줄 2층 대형 버스가 왔다. 철도 파업으로 갑작스럽게 바뀐 이동이지만 버스를 타고 국경을 넘기는 처음이라 기대가 되었다. 항공이 아닌 육로로 국경을 넘는 건 예전에 네덜란드 암스테르담에서 벨기에 브뤼셀까지 기차로 이동한 적 이후 두 번째였다.

잠시 정차한 드레스덴

버스는 달리고 달려서 체코 국경 인근에 있는 드레스덴에서 잠시 정차했다. 드레스덴은 프라하와 가깝고 관광 문화 자원이 풍부해서 프라하와 묶여 우리나라 여행객들이 많이 찾는 곳이지만, 제2차 세계대전 당시 도시 자체가 파괴되어 복구된 곳이고 우리는 다른 독일 도시들보다 방문할 매력을 느끼지는 못해서 넘어간 곳이었다. 잠깐 정차할 때 휴게소를 들리거나 하는 건 아니고 드레스덴 정류장에서 프라하 가는 사람들만 태워 갔다. 드레스덴에서 넘어가니 곧 체코로 진입해 버스는 달리고 있었다. 산발적으로 내리던 비는 그쳤는데 날이 흐려서 제대로 여행 기분을 만끽할지는 모를 일이었다. 체코로 넘어가니 갑자기 핸드폰 인터넷이 안 되었으나 전원을 다시 껐다 켜니 됐다. 창밖으로 경치를 보려는데 뿌연 하늘만 보여주고 있었다.

4시간 넘게 도로를 달려 드디어 프라하에 발을 디딜 수 있었다. 프라하(Praha)는 동유럽의 보석이라고 생각될 정도로 아름다운 도시로서 작은 나라 체코의 이미지와는 다르게 인구가 127만 명이 넘는 대도시였으나 주로 둘러보는 곳은 구시가지여서 그리 크게는 안 느껴졌다. 체코는 국가적으로 GDP가 우리나라와 엇비슷한 정도인데 물가는 상대적으로 저렴하게 느껴지는 국가라서 유럽 여행하기에 좋은 국가 중 하나였다. 각 도시마다 가로지르는 강이나 하천이 있는 것처럼 프라하는 블타바강이 아름다운 도심을 가로질렀다. 제2차 세계대전 당시 폭격 피해가 거의 없어서 중세 유럽을 잘 보존한 지역으로 인기가 매우 높다. 인근 국가인 폴란드 바르샤바, 독일 베를린 등은 전쟁의 참화로 복구된 모습을 현재 많이 보는데 프라하는 옛 모습을 그대로 간직한 경우가 많아 여행객들이 많이 찾는 도시였다.

역사를 보면 9세기에 도시가 형성되어 프라하성이 축조되었고 1085년 보헤미아 공국의 수도가 된 프라하는 14세기 카렐 4세 즉위 후 1346년에는 룩셈부르크 왕조가 통치하는 신성 로마 제국의 수도가 되었다. 이렇게 번영을 구가하던 프라하였지만, 1378년 체코가 낳은 개혁가 얀 후스로 인해 후스 전쟁의 한복판에서 큰 전란을 겪기도 했다. 그 이후 보헤미아 왕위가 합스부르크 가문으로 넘어가면서 합스부르크 왕조의 주요 도시로 자리매김했다. 현대사에서는 1918년 체코슬로바키아 독립 이후 1968년 프라하의 봄 사건으로 냉전 역사의 한 페이지를 장식했다. 1993년에는 체코와 슬로바키아가 분리되어 체코 공화국의 수도로 현재까지 이어지고 있다. 중세 시대의 고딕 건축부터 이후 바로크 건축까지 옛 모습이 고스란히 남겨 있는 도시로서 작은 파리 같다는 느낌을 많이 받았다.

4시간 버스 이동 후 기쁨 폭발

버스 정류장에서 내려 20분을 지도를 보며 부지런히 걸은 결과 화약탑이 눈에 들어왔다. 화약탑(Prašná brána)은 1475년 지금의 올드 타운을 지키는 13개 성문 중 하나로 대포 요새였다고 하는데 지금은 도심 한가운데 있어서 낯선 느낌이 들었다. 루돌프 2세가 통치하던 17세기 초에 연금술사들의 화약 창고와 연구실로 쓰이면서 화약탑으로 불리게 되었다. 다소 음산한 느낌이 드는 건 어두운 색의 외관 때문인 듯했다. 마치 관문처럼 이걸 보니 비로소 체코에 왔다는 게 실감 났다. 그리고 전 세계에서 온 북적이는 개별 여행객, 단체 관광객들을 보니 독일에서 보냈던 오붓한 구경은 끝났구나 하는 생각이 들었다.

호텔은 바로 근처여서 금방 도착해 체크 인을 했다. 친절한 안내 데스크가 주변 맛집까지 추천해 주었다. 오래된 로컬 호텔이어서 객실 분위기부터가 체인 호텔들과 달랐다. 세면대 물도 돌리는 손잡이였고, 방도 우리가 쓰기에는 넓어 보였다. 옛 유럽 감성이 묻어나는 객실이었다. 짐을 풀고 오후에는 오전에 버스에서 보낸 시간을 만회하듯 부지런히 걸어야 하는 시간이었다. 발소리가 따각거리는 거리를 걸으니 독일의 여느 거리와는 또 다른 느낌이었다. 첫 번째로 방문할 성 야고보 성당으로 가는 길에 체코 전통 간식인 굴뚝빵 뜨레들로(Trdlo) 가게가 있어서 점심도 못 먹고 돌아다녀야 하니 뭐라도 먹으면서 걸어야겠다 싶어서 아이스크림을 넣은 뜨레들로 2개와 카페 라테를 사서 걸어 다녔다.

살살 녹는 아이스크림 뜨레들로

성 야고보 성당(Kostel svatého Jakuba Většího)은 12세기에 지어진 고딕 양식의 성당으로, 프라하에서 유서 깊은 교회 중 하나였다. 당시에는 로마네스크 양식으로 지어졌으나, 14세기와 15세기에 걸쳐 고딕 양식으로 개축되었다. 성당의 외관은 고딕 양식의 특징을 잘 보여주고 있는데, 파사드는 성 야고보의 생애를 주제로 한 조각들이 장식되어 있다. 본당은 90m 길이와 20m 너비로, 프라하에서 큰 본당 중 하나로서 천장은 복잡한 격자무늬로 장식되어 있으며, 스테인드글라스 창문은 화려한 색채로 성당 내부를 밝히고 있다. 이곳은 스페인 산티아고 데 콤포스텔라의 성 야고보 성당과 더불어 기독교의 중요한 성지로 여겨지고 있다. 유명한 성당들과 달리 인지도가 낮아서 사람도 거의 없고, 둘러보기에 너무 좋았다.

구 시청 광장 쪽으로 걸어오니 틴 성모 마리아 교회의 지붕이 보이기 시작했다. 틴 성모 마리아 교회(Chrám Matky Boží před Týnem)는 1365년에 지어졌으며, 랜드마크 중 하나였다. 첨탑의 높이가 80m에 달하며 첨탑에는 후스파의 상징인 황금 성배가 있었지만, 현재는 성모 마리아의 후광을 비추는 장식품으로 사용되고 있다. 교회 내부는 화려한 고딕 양식의 장식으로 꾸며져 있으며, 천장에는 성모 마리아의 승천을 묘사한 프레스코화가 있다. 주요 제단에는 성모 마리아의 대관식을 묘사한 그림이 있는데 사진 촬영은 불가라서 눈에 익히는 데 만족했다. 이곳은 14세기부터 16세기까지는 종교개혁가 얀 후스(Jan Hus)를 따르는 후스파의 중심지였으며, 19세기에는 민족주의 운동의 중심지이기도 했다. 1620년에는 이곳에서 후스파의 지도자 얀 후스의 화형식이 거행되었다.

온갖 나라 사람들로 북적이는 광장

마침 정각이 되기 직전이어서 우리는 부리나케 천문시계 쪽으로 갔다. 이미 많은 사람이 12사도 모형을 보기 위해 기다리고 있었다. 구 시청사 천문시계(Pražský orloj)는 1410년 시계공 미쿨라시와 얀 신델이 제작했는데, 외부 대형 시계로 세계에서 3번째로 오래된 천문 시계이면서 현재까지 작동하는 천문 시계로 알려져 있다. 구 시청 남쪽에 설치되어 있으며 3개 부분으로 구성되어 있다. 첫 번째는 천문 눈금판으로 태양, 달의 위치와 천문 정보를 담고 있다. 두 번째는 사도들의 행진으로 제일 유명한 부분인데 매 시간마다 12사도의 모형과 죽음을 모티브로 한 해골 모형이 움직였다. 세 번째는 달력 눈금으로 매우 정교하게 만들어졌다. 해골 모형이 움직이지 않아서 조금 아쉽기는 했다.

놀라운 당시 공학기술

북적이는 광장을 지나서 이디움 인스틸레이션(Idiom Installation)을 보기 위해 갔다. 신 시청사 건너편 건물에 있었는데 수백 권의 책을 원통형으로 쌓아 만든 구조물로써 책은 위로 갈수록 좁아지며, 마치 무한대로 이어지는 것처럼 보였다. 이건 지식의 무한함과 다양성을 표현하는 작품으로 독특했다. 책은 지식과 정보를 담고 있는 매개체로서 이러한 책들이 모여 만들어 내는 거대한 지식의 세계를 보여주고 있었다. 책의 다양한 색깔은 지식의 다양성을 상징한다고 할 수 있는데 재미있는 구조물이라 많은 이들이 사진을 찍었다.

앞으로 공부할 책

127

근처에 있는 클레멘티눔(Klementinum)을 통과하면 바로 카를교 (Karlův most)가 나오고 그걸 보여주는 다리탑이 먼저 우리를 반겨 주었다. 구시가지 다리탑(Staroměstská mostecká věž)은 프라하에서 가장 유명한 랜드마크 카를교 앞에 자리한 고딕 양식의 타워로 잘 보존된 프라하 시내를 내려다볼 수 있는 전망대가 자리 잡고 있다. 특히 해가 진 후 어둠이 깔리면 불빛이 반짝이는 야경이 무척이나 아름다웠다. 다리가 유명한 이유 중 하나는 여러 동상이 세워져 있기 때문인데 1683년에 세워진 얀 네포무츠키의 동상은 체코의 수호 성인으로 많은 이가 복을 빌기 위해 찾아왔다. 6번째와 7번째 기둥 사이에는 십자가가 있는데, 네포무츠키가 1393년 보헤미아 왕 벤체슬라우스의 명령에 따라 블타바강에 던져진 순교 자리를 표시했다. 왕이 왕비의 불륜을 의심해 네포무츠키에게 고해성사 내용을 물었으나 말하지 않은 그의 혀를 뽑아서 강에 던졌다. 석상 아래 동판에는 그 모습을 재현한 모습이 있는데 이를 만지면 다시 프라하에 온다는 속설이 있어서 반질반질했다. 1741년까지 블타바강을 건너는 유일한 다리이자 지금도 프라하의 중심 거리로서 그때를 추억하고 지금을 기억했다.

프라하에 다시 오길 희망

처음에는 어차피 내일 지나가야 하니 카를교를 건널 생각이 없었지만, 왔으니 카를교를 걸으며 다른 여행객들처럼 우리도 프라하에 왔다는 신고식을 했다. 삼삼오오 혹은 혼자 와서 카를교를 거니는 사람들 중에 진짜 체코 사람, 프라하 사람은 몇 되지 않은 것 같았다. 카를교를 완전히 건너지는 않고 되돌아와서 아이가 그토록 원한 레고 박물관으로 걸음을 옮겼다. 가는 길에 매달린 지그문트 프로이트 동상(Socha zavěšeného Sigmunda Freuda)이 거리 위에 매달려 있어서 눈길을 끌었다. 조각가 데이비드 체르니의 작품으로 높이 2.1m의 청동으로 만들어졌으며, 프로이트가 양복을 입고 서 있는 모습을 묘사하고 있다. 무게도 상당할 텐데 떨어질까 조마조마했다. 프로이트의 얼굴은 표정이 없으며, 한 손으로 막대기를 잡고 있고, 한 손은 바지 주머니에 넣고 있으며, 프로이트의 발은 공중에 떠 있는 자세였다.

매달린 동상 바로 근처에 있는 하벨시장(Havelské tržiště)은 우리가 묵는 호텔 바로 근처이고 구시가지 광장에서 가까운 위치에 있는 시장으로 1232년부터 개시된 역사와 전통을 자랑하는 시장이었다. 주로 과일, 식재료, 기념품 등을 판매해서 현지인뿐만 아니라 여행객들도 많이 찾는 시장으로 이곳의 분위기를 느끼기에 좋아 보였는데 날이 쌀쌀해서 그런지 기념품 파는 곳만 열려 있고 음식 파는 건 거의 안 보여서 아쉬웠다. 시장을 지나 아이가 고대하던 레고 박물관으로 갔다. 시리즈별로 레고가 나름 알차게 전시되어 있어서 나도 만족스러웠는데, 아이만큼 나도 흥분하게 된 건 지금은 단종된 레고가 전시되어 있었기 때문이었다. 90년대 캐슬, 해적, 우주 시리즈 등 내가 어린 시절 사고 싶었지만 사지 못했던 레고들이 쭉 있었던 것으로 입에서는 감탄을 연발하며 한시도 눈을 가만둘 수 없었다. 결과적으로 아이보다 나를 위한 장소가 된 듯했다. 하늘에 걸린 노을의 미소처럼 얼굴에 미소를 짓고 우리는 나왔다.

두근거렸던 레고 타임

블타바강쪽으로 가서 댄싱하우스(Dancing House)를 보러 갔다. 이
건물은 말 그대로 춤추는 듯한 해체주의 건축물로서 1996년에 완공
되었으며, 미국의 건축가 프랭크 게리와 체코의 건축가 블라도 밀루
닉이 공동으로 설계했다. 두 개의 타워로 구성되어 있는데 하나는
유리와 강철로 이루어진 유연한 형태의 타워이고, 다른 것은 콘크리
트와 유리로 이루어진 단단한 형태의 타워였다. 춤추는 커플을 연상
시킨다고 하여 "프레드와 진저"라는 별명을 가지고 있었다. 밝을 때
봤으면 더 좋았겠으나 저녁에 보는 것도 나름 매력이 있었다.

프라하의 첫 저녁 식사는 아내가 찾아놓은 코젤에서 운영하는 레스
토랑(Kozlovna U Paukerta)을 갔다. 체코는 독일, 벨기에 못지않게
맥주 강국이고 내가 알기로는 1인당 소비량이 세계 1위라고 했다.
그리고 미국 버드 와이저 명칭 원조가 체코라고 하니 그 맥주 맛이

얼마나 대단할지 궁금했다. 클래식 라거, 다크, 마스터 비어 등 다양하게 주문해서 마시는데 맥주를 좋아하지 않는 나로서도 어떻게 이렇게 시원하고 목으로 청량하게 넘어가는지 궁금할 정도의 맛이었다. 식사로 주문한 꼴레노, 굴라쉬, 스파이시 윙 중에서 꼴레노는 독일 뉘른베르크에서 먹었던 학센과 매우 비슷한데 이것도 겉은 바삭하고 속은 촉촉해서 맛있었다. 굴라쉬는 나라마다 편차가 있는지 내가 예전에 러시아에서 먹었던 것과 다른 요리 같지만, 맛 자체는 좋았다. 시간 가는 줄 모르고 이 분위기를 즐긴 듯했다. 코젤 맥주 한 모금이 여기가 체코 프라하라는 걸 말해주는 것 같았다.

이것이 바로 체코 맥주

꼴레노와 굴라쉬

어느덧 깜깜해진 거리로 나와서 아내와 아이, 나는 불어오는 바람마저 포근한 카를교를 배경으로 사진을 찍으며 프라하의 첫날을 마무리했다. 항상 같이 있는데 또 이렇게 여행 와서 함께 걸으며 또 할 이야기들이 있다는 것이 여행이란 어디를 가느냐보다 누구와 가느냐가 더 중요하다는 걸 느끼게 해 줬다. 서로 손을 잡고 가로등 켜진 좁은 길을 구불구불 따라 걸어가며 우리의 여행도 이렇게 기억되었다.

프라하의 밤

Time travel to the Middle Ages

2024년 1월 13일(토)(10일째)-프라하

숙취로 인해 조금은 힘들게 아침을 시작했다. 그래도 뚜벅이 여행은 시간이 금이기 때문에 기지개 한 번 펴고 준비한 다음 호텔 조식을 먹으러 1층으로 갔다. 여행 비수기라서 그런지 홀이 붐비지 않아서 좋았다. 독일보다 정성이 더해진 조식 메뉴에 감동하며 배불리 먹었다. 아이는 와플 만드는 기계가 없어서 아쉬워했지만, 와플이 있어서 기쁨을 감추지 못했다. 오늘 하루는 프라하 시가지를 둘러보는 일정이기 때문에 옷을 따뜻하게 입고 다들 호텔을 나섰다. 첫 시작은 시가지에서 가장 먼 스트라호프 수도원에서 시작하기 때문에 트램을 타고 블타바강을 넘어서 쭉 올라갔다. 트램을 타고 가며 프라하의 아침을 구경하는 재미도 있었다.

스트라호프 수도원(Strahovský klášter)에 도착해 우리는 전체를 다 보지는 않고, 가장 보고 싶었던 도서관 들어가는 티켓만 발권했다. 이 수도원은 프라하의 젖줄인 블타바강 맞은편 언덕에 위치한 프라하성 인근에 있으며 1140년에 건립되었다가 전쟁과 화재 등으로 파괴되었다가 지금은 18세기에 복원한 모습이라고 했다. 제2차 세계대전 이후 공산화되면서 폐쇄되었다가 다시 민주화가 되면서 수도원의 역할을 찾았다. 도서관에는 총 14만 권의 도서가 있는데 종류에 따라서 이름을 지은 방들이 있으며 내부가 무척 화려하면서 아름답기로 유명했다. 들어가서 방을 보자마자 여타 도서관과는 다르다는 것이 확 느껴졌다. 신학의 방은 꿈꾸는 듯한 느낌을 받았고, 철학의 방은 거대한 지식의 보고 같았다. 신학의 방에 있는 책들이 상당히 두껍고 오래되어 안내원에게 양피지로 만들어진 건지 물어보니 그렇다고 해서 안에 내용물은 관리가 잘 되는지 궁금했다. 철학의 방은 예전 아일랜드 더블린의 트리니티 칼리지에서 보았던 북 오브 켈스(The Book of Kells)가 떠오르며 아득한 지식의 보고를 쌓아 올리기 위해 노력한 인류의 고뇌가 느껴졌다.

신학의 방과 철학의 방

밑으로 내려와 도착한 로레타 성당(Loreta)은 1626년 카테리나 로 브코비츠 남작 부인에 의해서 세워진 성당으로 얀 후스의 종교 개혁 으로 인해 구교(천주교)와 신교(개신교)의 대립이 격화되자 구교도 의 승리를 기원하는 뜻에서 만들어졌다. 성당 정면의 탑 안에 있는 27개의 종을 로레타의 종이라 부르는데 매 정각에 성모 마리아를 찬송하는 종소리가 울려 퍼졌다. 우리가 갔을 때에도 종소리가 울려 서 그 소리를 귀에 담을 수 있었다.

프라하성으로 가기 위해 지나야 하는 흐라드찬스케 광장(Hradčanské námestí)은 13세기에 만들어져 오랜 역사를 가지고 있다. 광장의 중심에는 성 베드로와 바울 성당이 있으며, 우리는 처음에 이곳에서 프라하 전경이 보이는 줄 알았지만 그건 착각이었다. 광장을 지나가니 점점 사람들이 많아지고 성 비투스 대성당의 첨탑이 크게 보일 때쯤 프라하 전경도 함께 눈앞에 펼쳐졌다.

우리는 프라하성 구역으로 들어와서는 수많은 인파 속에서 성 비투스 대성당과 옛 왕궁, 황금 소로 등을 갈 수 있는 티켓을 발권했다. 성안으로 들어오니 이미 많은 단체 관광객, 여행객들이 전 세계에서 모여 있었다. 프라하는 파리, 로마, 바르셀로나에 버금가는 관광 도시라더니 틀린 말이 아니었다. 프라하성(Prazsky hrad)은 많은 성이 즐비한 유럽에서도 큰 규모를 자랑하는 성이었다. 9세기 말부터 건축되어 카를 4세가 통치하던 14세기에 지금과 비슷한 모습을 갖추었다. 블타바강 맞은편 언덕에 자리 잡고 있는데 로브코위츠 궁전 외에 성 비투스 대성당, 성 십자가 교회 등 많은 부속건물이 함께하고 있다. 고딕 양식이 정립되기 전에 건설되어 처음에는 로마네스크 양식으로 지어지다가 13세기 중반에 고딕 양식이 추가되기 시작했다. 1526년에 합스부르크 가문이 이곳을 지배하면서 르네상스 양식이 가미되었다가 1753년부터 1775년 사이에는 바로크 양식이 혼합되어 지금같이 모습이 되었다. 체코는 공화국이 된 지 오래였지만 근위병이 지키고 있는 모습이 이색적이었다.

부동자세

가장 중요한 성 비투스 대성당(Katedrála svatého Víta)은 첫인상으로 노트르담 대성당과 비슷한 느낌을 받았다. 천주교 대주교좌 성당으로 체코에서 가장 크고 중요한 성당으로 손꼽혔다. 여러 체코 국왕과 성인, 영주, 귀족, 대주교의 유골이 안치되어 있으며 프라하에 왔으면 꼭 들리는 곳 중 하나였다. 시작은 925년 벤체슬라우스 공작이 신성 로마 제국 황제에게 받은 성 비투스의 팔을 보관하기 위해 지으면서 시작되었다. 1344년 카를 4세 때 짓기 시작해서 1929년에 완공된 오랜 건축 역사를 가지고 있다. 그러기에 고딕, 르네상스, 바로크, 신고딕 양식 등이 혼재되어 지금과 같은 모습을 만들어 냈다. 천장 높이 33m, 첨탑 높이 100m에 이르는 굉장히 거대한 성당이었다. 건축적으로 가장 큰 관심을 끈 것은 체코가 낳은 세계적인 예술가 알폰스 무하가 제작한 아르누보 양식의 스테인드글라스 작품이었다. 카를교에서 보았던 얀 네포무츠키의 무덤이 이 성당 안에 있어서 그것도 유심히 보았다. 일일이 사진을 찍으며 보는데 시간 가는 줄 몰랐던 장소였다. 나와서 화장실이 굉장히 급했는데 마침 아이가 1유로를 가지고 있어서 덕분에 쉽게 볼 일을 해결할 수 있었다. 입장권까지 끊고 들어왔는데 정작 화장실을 유료로 쓰게 하다니 조금 이해가 가질 않았다. 후련해진 몸으로 이어서 우리는 카를 4세의 뜻을 반영해 고딕 양식으로 재건축된 옛 왕궁을 둘러보고, 황금 소로로 향했다.

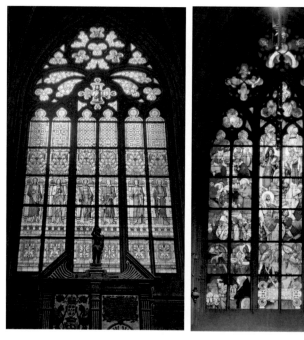

명화같은 스테인드글라스

화려하고 엄숙한 성당 내부

얀 네포무츠키의 무덤

생각보다 크지 않은 옛 왕궁

성 비투스 대성당을 본 감격

황금 소로는 거리지만 지하철 개찰구처럼 표를 찍고 들어갈 수 있게
해 놨다. 황금 소로(Zlata ulicka)는 영어로 'Golden lane'이라고 불
리는데 이는 16세기 후반부터 연금술사와 금은 세공사들이 많이 거
주하면서 그리 불리게 되었다. 처음에는 프라하성을 지키는 병사들
의 막사로 사용하기 위해 만들어진 곳이라고 했다. 작은 골목길로
양쪽에는 작은 집들이 늘어서 있어서 정감 있는 모습을 연출했다.
이곳이 유명해진 것은 작가 카프카 때문인데, 오랜 시간은 아니지만
1961년 11월부터 다음 해 5월까지 여동생이 마련해 준 이 골목 22
번지 집에서 매일 글을 썼으며, 프라하성에서 모티브를 타서 지은
작품 '성(城)'도 이때 완성했기 때문이었다. 생각보다 거리가 크진
않았지만, 그때 생활상을 알아볼 수 있어서 다니는 재미가 있었다.

카프카가 글을 썼던 집

우리는 프라하 전경을 바라보며 시가지로 내려왔다. 정상에서 봤을 때도 멋졌지만, 내려와서 보는 프라하도 낭만이 있었다. 시가지로 내려와서는 성 삼위일체 기둥과 성 니콜라스 성당까지 걸어갔다. 프라하성 삼위일체 기둥(Morový sloup Nejsvětější Trojice)은 바로크 양식의 기념물로써 1715년 요한 바티스타 알리프란디가 설계하고 건설했다. 1713년부터 1715년까지 프라하를 휩쓴 흑사병을 종식시킨 것을 기념하기 위해 세워졌다. 바로 옆에 있는 성 니콜라스 성당(Kostel Sv. Mikulase)은 그전 건물이 화재로 소실되어 1704년부터 짓기 시작해 1755년에 완성된 다른 유서 깊은 성당과 비교했을 때 적은 건축 기간을 보인 성당이었다. 바로크 양식으로 지어졌으며 첨탑 높이는 80m였다. 본당 천장에는 우리에게 산타클로스로 잘 알려진 성 니콜라스를 주제로 한 대형 프레스코화가 있는데 유럽에서 가장 큰 규모를 자랑한다고 했다. 모차르트가 자주 방문해서 오르간 연주를 한 곳이기도 하고, 1791년 12월 그가 사망했을 때 추모미사가 열린 곳이기도 했다. 1787년 모차르트가 연주한 오르간이 남아 있다.

내려올수록 낭만이 짙어지는 프라하

낭만을 싣고 가는 노면 전차

노면 전차가 다니는 정감 있는 거리를 거닐면서 분위기에 흠뻑 빠져
보았다. 곳곳에 성당이 참 많았는데 성 비투스 대성당과 더불어 꼭

가보고 싶었던 승리의 성모 성당에 도착했다. 승리의 성모 마리아 성당(Kostel Panny Marie Vítězné)은 1278년에 처음 건설되었으나 화재로 소실되어 1704년부터 1755년까지 다시 지어졌다. 바로크 양식이며 첨탑의 높이는 80m에 달했다. 본당 천장에는 유럽에서 가장 큰 규모인 어린이들의 수호성인인 성 니콜라스를 찬양하는 대형 프레스코화가 있다. 그리고 이 성당이 무엇보다 전 세계적으로 유명한 것은 바로 아기 예수상 때문이었다. 이 아기 예수상은 1560년대에 만들어졌으며, 기적을 행하는 것으로 알려져 있다. 문을 열고 들어서자 생각보다 조용하고 사람들이 없어서 좋았다. 프라하에 오게 되면 꼭 오고 싶은 성당이었기에 천천히 둘러보았다.

기도하는 아이

프라하의 아기 예수는 승리의 성모 성당에 있는 유명한 아기 예수상으로 나무로 조각되었으며 크기는 60cm 정도로 그리 크지 않다. 처음 봤을 때 조금 멀리 있어서 그런지 생각보다 작다는 생각이 먼저 들었다. 그래도 아기 예수가 여기까지 오게 된 역사를 알고 있기에 결코 위용은 작지 않았다. 3살 정도 아기 모습에 거대한 왕관을 머리에 쓰고 있으며 값비싼 대관식 외투를 입고 있다. 왼손에는 십자가가 달린 지구의가 있고 오른손은 축복을 주는 것처럼 위로 들고 있다. 스페인의 과달키비르 지역에서 발현한 아기 예수는 한 수사 앞에 모습을 드러냈는데 그 모습을 만들었고, 후에 그곳의 귀족이 보헤미아 지역 영주와 혼인하면서 이 지역으로 가져오게 되었다. 우리도 함께 바라보며 기도하고 축복을 빌었다. 아기 예수가 입는 제의는 때때로 다른데 그걸 전시한 박물관이 성당 위층에 있었다. 나오는 길에 성물방에서 선물을 사며 이때의 감동을 기억하며 추억하기로 했다.

스페인에서 온 프라하의 아기 예수

성당을 나와서 잠시 지친 다리를 쉬어가게 하기 위해 카페에 들러 카페 라테, 플랫 화이트, 핫 초콜릿과 케이크를 먹으며 숨 고르기를 가졌다. 1시간 정도 쉬었다가 다시 승리의 성모 성당으로 갔다. 아까 구입한 성물을 신부님에게 축복받기 위해서 인상 좋은 수녀님에게 물어봤는데 부재중이어서 시간에 맞춰 다시 방문한 것이었다. 마침 계셔서 한국에서 왔다고 여쭙고 축복을 청하니 흔쾌히 우리 모두 성수로 축복을 받고 아기 예수상을 들고 사진을 찍는 영광을 누렸다. 따뜻한 환대에 감동하고 성당 밖으로 나왔다. 어느새 어둑해질 때쯤 마지막 찾아갈 장소인 레논 벽으로 갔다.

프라하의 아기 예수상과 함께

레논 벽(Lennonova zed')에는 몇 사람만 있고 한산했다. 천주교 성당과 광장을 구분하기 위해 세워진 벽으로 1980년 비틀스의 존 레넌이 암살당했을 때 체코슬로바키아의 화가와 음악가들이 벽에 초상화와 노래 가사를 그리면서 시작되었다. 이후 평화와 투쟁으로 꾸며졌고 1989년 민주화의 열기 속에서 학생 시위대들이 모이는 장소로 유명

145

세를 탔다. 공산당은 이 벽을 철거하려 했지만, 시민들의 반대로 철거하지 못했고 지금은 여행객이 찾는 장소가 되었다. 여기서도 그렇고 나에게 사진 찍어달라는 외국인들이 종종 있었는데 진심을 다해 찍는 한국인의 DNA를 발휘하며 찍으니 다들 감탄하며 프로 같다며 칭찬했다. 내려가는 길에 보랏빛으로 물든 거리가 너무 아름답고 몽환적이어서 아내를 사진 찍어줬더니 아이가 자기도 찍어주겠다며 나와 아내를 함께 서보라고 하고는 조약돌 같은 손으로 찍어줬다.

Imagine all the people

보랏빛 세상

저녁 식사를 하기 전에 다시 한번 카를교를 거닐기 위해 걸음을 옮겼다. 아내는 이곳을 무척이나 마음 들어 했다. 아내는 이번 여행에서 베스트를 꼽자면 단연 프라하, 카를교를 말할 것 같았다. 카를교(Karlův Most)는 파리의 알렉상드르 3세 다리만큼이나 화려하지는 않아도 그에 못지않게 유명한 다리가 아닐까 싶었다. 체코의 유수한 건축은 거의 다 손댔을 만큼 유명한 카를 4세가 유디트 다리를 대체하기 위해서 만든 다리로서 성 비투스 대성당을 설계한 독일인 페테르 파를러가 1357년에 공사를 시작하게 되었다. 프라하에 도착한 여행객이라면 다른 곳은 안 가더라도 이곳은 꼭 가서 인증 사진을 남길 만큼 유명해서 항상 많은 사람으로 붐볐다. 우리도 프라하에 얼마 안 있지만 이 다리를 참 여러 번 오갔다.

동화같은 카를교

카를교를 건너지 않고 전망 탑 끝까지 갔다가 다시 블타바강 서쪽 구역으로 돌아와서는 생각해 둔 레스토랑에서 프라하의 마지막 저녁 만찬을 즐겼다. 먼저 아내는 필스너 우르겔 맥주, 아이는 아이스 복숭아 티를 주문했고, 나는 체코의 국민 콜라인 코폴라(Kofola)를 시켰다. 코폴라는 옛 체코슬로바키아 시절에 만들어진 콜라로 허브와 과일 등을 섞어 만들었다. 맛은 콜라와 꽤 다른데 콜라에 시럽 약을 탄 맛이 났다. 식사 메뉴는 훈제 혀 요리, 빵에 담긴 소고기 굴라쉬, 꼴레노를 시켜서 어제만큼 푸짐하게 즐겼다. 굴라쉬는 사실 그만 먹고 싶어서 시키지 않았다고 생각했는데, 영어 메뉴로 보았을 때 주문한 소고기 수프가 굴라쉬였다. 그래도 맛은 나쁘지 않고 촉촉한 빵과 어우러져 맛있었다. 굴라쉬도 먹기에 많았는데 꼴레노의 크기가 엄청나서 먹기에 다소 버거울 정도였다. 배는 너무 불렀으나 음식은 모두 맛있고, 종업원도 친절해서 기분 좋게 하루를 마무리할 수 있었다.

마지막 프라하 만찬

호텔로 돌아가는 길에 아이가 마지막으로 뜨레들로를 먹고 싶다고
해서 오리지널로 하나 샀다. 우리는 별이 반짝이는 체코의 북적이는
밤에 뜨레들로를 돌돌 뜯으며 달콤한 중세 거리를 걸었다.

Sbohem, Praha!

2024년 1월 14일(일)(11일째)-프라하에서 빈

프라하를 떠나는 날이면서 일요일이기 때문에 우리는 미사 참례를 하기 위해 호텔 바로 앞에 있는 성당으로 갔다. 아침 미사를 위해 간 곳은 천주교 성당인 성 하벨 교회(Kostel sv. Havla)로서 이곳은 12세기 체코의 수도원 수도사들이 지은 교회로서 1679년부터 1704년까지 바로크 양식으로 개보수를 하였다. 미사 시간은 8시 30분이라 생각보다 일찍 시작했는데, 작은 성당이고 주변에 워낙 성당이 많다 보니 출석 신자가 많지는 않아 보였다. 그래서 오히려 오붓한 분위기에 더 좋았던 것 같다. 체코어로 진행되어 무슨 말인지 잘 모르지만 전 세계 천주교 미사 전례 순서가 거의 비슷하고, 미사 강론 내용은 동일해서 순서를 따라 가는데 어렵지 않았다. 복사 아이들이 많아서 좋았고, 독일 라이프치히에서 봤던 신부님처럼 이곳 신부님도 풍채와 미소가 좋아 보여 인상 깊었다. 가기 전에 축복을 청하고 우리 여행 일정에 대해서도 잠깐 이야기를 나눴다. 짧은 시간이지만 다른 신자들도 정말 따뜻하게 맞이해 줘서 프라하에 대한 이미지가 더욱 좋아졌다.

아담하지만 화려한 성당 내부

후반전 여행을 축복받은 후

호텔 체크 아웃을 하기 전에 다시 한번 카를교를 향해 아침 산책을 했다. 프라하는 더할 나위 없이 좋았던 도시였다. 걷고 있자니 오늘 이 이틀 전이면 얼마나 좋을까 하는 생각을 했다. 조금 더 오래 있고 싶은 체코를 떠나 우리는 여행 후반전의 시작인 오스트리아로 떠날 준비를 했다. 이번 동유럽 여행이 독일, 체코, 오스트리아, 슬로바키아, 헝가리였는데 딱 중간에 해당되는 기간이 체코 일정이었다. 체코를 떠나는 아쉬움과 여행 전반전이 끝났다는 아쉬움까지 더해져 멀어지는 블타바강의 모습이 사라질 때까지 바라보았다. 캐리어를 끌고 바츨라프 광장으로 가니 또 다른 프라하의 모습이 펼쳐졌다. 우리는 구시가지 중심으로 있어서 격동의 근현대사에 중심지였던 바츨라프 광장을 이제야 만나게 되었다. 바츨라프 광장(Václavské náměstí)은 1968년 프라하의 봄 당시 시위대와 진압군이 충돌하여 100여 명의 사상자를 낸 장소였다. 하지만 1989년 수십만의 시민들이 모여 결국 당시 체코슬로바키아의 공산 정권이 몰락하는 벨벳혁명이 일어나게 되었다.

안녕, 프라하

우리가 탈 기차 플랫폼 확인

우리는 광장을 지나 생각보다 그리 크지 않은 중앙역에 도착했다. 플랫폼에서 기다리니 얼마 안 되어 기차가 도착했다. 프라하 중앙역에서 기차를 타고 가는데 2시간쯤 갔을 때 갑자기 기차가 예정되지 않게 정차해서 사람들이 내리기 시작했다. 우리가 제대로 못 들었을 수도 있지만 역무원의 영어 안내가 없어서 우왕좌왕하며 내렸는데 기차가 고장 났다고 한 것도 같고, 어쨌든 외국인 아주머니가 영어로 다른 플랫폼 가서 타야 한다고 친절하게 알려줘서 이동해서 탔다. 색다른 경험이나 아는 사람 없이 혼자였다면 굉장히 당황했을 것 같았다. 나중에 알았는데 선로 변경 때문에 열차를 갈아탄 것이었다.

어리둥절한 선로 변경

드넓은 평원을 지나고 지나서 장장 4시간을 넘겨 드디어 오스트리아의 수도 빈에 도착했다. 중간에 갈아탄 것 때문에 20분 늦게 우리는 기차에서 내렸다. 이미 주위는 깜깜해지고 밤이 되었다. 일반 마트는 일요일이라 영업을 하지 않아서 역 내에 있는 작은 마트에서 오늘 저녁 식사와 내일 아침 식사할 것만 간단하게 샀다. 숙소까지 캐리어를 끌고 가는데 자잘한 돌길이 아니라 콘크리트 길이어서 끌기에 좋았다. 빈에서의 숙소는 호텔이 아니라 현지 숙소로 지금까지 묵었던 그 어떤 곳보다 최소 3배는 넓어 보였다. 돌아다니다 보니 너무 커서 낯설 정도였다. 밀린 빨래를 세탁기에 돌리고, 식사로 소고기 스테이크, 독일에서 가져온 소시지 구이, 뇨끼 파스타와 샴페인으로 빈에서 시작할 여행 후반전을 자축했다.

모차르트의 나라 도착

빈(Wien)은 부르봉 왕조의 프랑스 수도로서 명성이 드높았던 파리만큼 합스부르크 왕조의 오스트리아 수도이자 신성 로마 제국의 주요 도시이기에 파리만큼 유럽 역사에서 빛나는 도시 중 하나였다.

파리가 예술 중에서 미술의 도시라면 빈은 음악의 도시이기도 했다. 과하게 말하자면 클래식 음악의 수도가 아닐까 싶었다. 모차르트, 베토벤, 슈베르트, 하이든, 요한 슈트라우스 등 기라성 같은 클래식 음악가들이 살았고, 연주했고, 숨 쉬었던 도시이기 때문이다. 인구는 200만 명 정도로 우리에겐 그리 크지 않은 도시지만, 인구가 적은 유럽의 도시 특성상 거대 도시로 볼 수 있는 규모였다. 현재는 오스트리아에서 가장 인구가 많고 EU에서는 5번째로 인구가 많다. 세계 도시 지표에서 알 수 있듯이 가장 살기 좋은 도시로 항상 꼽히는데 치안, 교육, 환경, 문화, 교통 등 어느 하나 빠지는 것이 없기 때문이다. 빈의 느낌은 참 화려하고 그래서 다가가기 어려운 귀부인의 모습을 하고 있는 게 화려한 역사가 쌓여있기 때문인 듯했다.

사실 오스트리아의 합스부르크 가문은 작은 영주 가문에서 시작해서 정복 활동보다는 혼인 정책을 통해 나라와 가문 규모를 키워왔기에 실상을 아는 사람들이라면 위대하다는 말에는 동의하지 못하겠지만, 그들이 만들어 놓은 문화 예술 수준은 지금까지 수많은 사람이 향유하고, 보존하고 있어서 그 정도면 충분히 역할을 한 것이 아닌가 생각이 들었다. 프랑스의 나폴레옹 침략으로 점령당했지만, 그의 몰락 후 빈 체제에서는 유럽의 수도 역할을 했었다. 중세 이후 오스트리아 제국으로 번영을 구가했지만 20세기 들어서는 히틀러가 이끄는 나치로부터 자유롭지 못해서 오스트리아는 결국 나치 독일에 합병당하고 제2차 세계 대전의 소용돌이 속으로 들어가고 말았다. 전쟁 이후에는 제국에서 일개 작은 국가가 돼버린 오스트리아는 1955년에 영세 중립국 선언을 하게 되고 빈은 국제 외교의 무대가 되어 지금까지 이어져 오고 있다.

프라하의 여기

우리가 걷고, 바라본 곳들

화약탑(Prašná brána)

성 야고보 성당(Kostel svatého Jakuba Většího)

구 시청 광장(Staroměstské náměstí)

구 시청사 천문시계(Pražský orloj)

틴 성모 마리아 교회(Chrám Matky Boží před Týnem)

카를교(Karlův most)

160

매달린 지그문트 프로이트 동상(Socha zavěšeného Sigmunda Freuda)

성 하벨 교회(Kostel sv. Havla)

댄싱하우스(Dancing House)

로레타 성당(Loreta)

하벨 시장(Havelskétržiště)

스트라호프 수도원 도서관(Strahovská knihovna) 신학의 방

스트라호프 수도원 도서관(Strahovská knihovna) 철학의 방

성 비투스 대성당(Katedrála svatého Víta)

황금 소로(Zlata ulicka)

성 니콜라스 성당(Kostel Sv. Mikulase)

레논 벽(Lennonova zed')

바츨라프 광장(Václavské náměstí)

승리의 성모 마리아 성당(Kostel Panny Marie Vítězné)

클래식 음악의 수도

2024년 1월 15일(월)(12일째)-빈

빈에서 맞이하는 첫날이 밝았다. 날씨가 너무 화창해서 활기찬 도시의 공기를 만끽하기에 좋은 아침이었다. 어제 중앙역 마트에서 사 온 샌드위치와 삶은 달걀로 간단히 식사를 했다. 그런데 편의점에서 파는 수준의 샌드위치는 차가워서 맛이 없었고, 나와 아내는 커피 생각이 간절하긴 했지만, 물을 1.5L 한 병만 사 와서 커피 끓이기에는 물이 모자랐다. 일단 한국에 있는 어머니와 영상 통화를 마치고 한껏 시원한 겨울 공기를 마실 수 있는 빈의 거리로 나갔다. 먼저 첫 번째 목적지로 숙소 근처에 있는 벨베데레 궁전으로 걸어갔다.

흔한 유럽의 아파트 맨션

벨베데레 궁전(Schloss Belvedere)은 바로크 양식의 궁전으로 17세기 후반에 지어졌으며, 오스트리아의 대표적인 궁전 중 하나였다. 두 개의 궁전이 있는 독특한 형태인데 상궁(Upper Belvedere)은 1697년부터 1723년까지 튀르크 전쟁의 영웅인 사보이 공자 외젠이 지었으며, 하궁(Lower Belvedere)은 1714년부터 1723년까지 외젠의 동생 카를과 그의 아내인 마리아 안나 아우스트리아가 지었다. 상궁은 궁

전의 중심 건물로서 정면 상단에는 전쟁의 승리를 상징하는 조각상
이 있고, 아래에는 사보이 가문의 문장이 있었다. 내부에는 구스타프
클림트, 에곤 실레, 오토 무크 등 유명 예술가들의 작품이 전시되어
있는데, 구스타프 클림트의 대표작인 '키스'는 이곳에 유명세를 더해
주었다. 하궁의 내부는 상궁보다 소박한 분위기로서 오스트리아의
역사와 문화를 보여주는 전시물이 있었다. 찬바람이 불어와도 푸른
하늘이 보여 빈의 하루를 시작하기에 더없이 좋은 공간이었다.

빈의 상쾌한 아침

궁전에서 나와서 제2차 세계 대전 당시 희생된 소비에트 병사 위령
탑을 지나 카를 성당으로 갔다. 카를 성당(Karlskirche)은 바로크 양
식으로 1713년부터 1737년까지 요하네스 베른하르트 피셔 폰 에르
라흐와 요제프 에마누엘 피셔 폰 에르라흐가 설계하고 건축했다. 18
세기 초반 유럽을 휩쓸었던 페스트가 빈에서 사라진 것을 기념하여
건축된 성당의 이름 역시 역병의 수호성인인 성 카를로 보로메오에
서 따왔다. 돔은 72m 높이로 빈에서 높은 건축물 중 하나이고, 첨
탑은 45m 높이로 돔과 함께 성당의 화려한 외관을 완성했다. 규모
는 작아도 꼭 독일 베를린에 있는 베를리너 돔과 비슷하다는 느낌을
강하게 받았다.

성당을 지나 우리는 트램과 자동차가 지나다니는 도로를 건넜다. 도로를 건너기 전에 알베르티나 현대 미술관(Albertina Modern)과 빈 음악협회(Musikverein Wien) 건물이 나타났다. 그리고 더 쭉 안으로 걸어 들어가니 나타나는 도로가 바로 익히 말하는 링(Ring)이었다. 오늘의 주요 일정은 링(Ring) 안을 둘러보는 것으로, 이러한 이름이 붙여진 이유는 빈의 중심부를 도는 도로가 반지 형태여서 링이라는 별칭이 생겼다. 본래 성벽이 있던 자리로 프란츠 요제프 1세 당시 순환 도로로 만들어져 지금의 모습을 띠게 되었는데 총길이는 5.2km에 달했다. 처음에는 성벽이 남아있나 싶었는데 그건 착각이었다. 여기가 링이라는 것을 알려주듯 국립 오페라극장의 거대한 모습이 드러났다. 도로를 건너는 횡단보도의 신호등이 독일 베를린과는 또 다른 다양성을 보여주는 재미있는 모습이어서 눈길을 끌었다. 우리나라도 이런 신호등이 있다면 또 하나의 상품이 될 수 있지 않을까 생각했다.

알베르티나 현대 미술관

빈 음악협회

함께 가는 신호등

빈 국립 오페라극장(Wiener Staatsoper)은 이곳이 왜 클래식 음악의 수도인지 보여주는 건축물이었다. 2,200여 석 규모 극장의 시작은 1861년부터 착공하여 1869년에 지어진 오페라 하우스로 프란츠 요제프 1세와 황후 엘리자베트가 참석한 가운데 빈 궁정 오페라로 개관했다. 오랜 역사 속에서 제2차 세계 대전 당시 폭격으로 인해 파괴되었고, 이후 원래 모습을 거의 유지한 채 복원되었다. 이곳은 빈 필하모닉 관현악단(Wiener Philharmoniker)이 전용으로 사용하고 있는 곳으로도 유명한데, 베를린 필하모니와 더불어 세계에서 가장 유명한 관현악단으로 드높았다. 역대 지휘자 중 알만한 사람으로는 구스타프 말러, 헤르베르트 폰 카라얀 등이 있다. 한국인으로는 정명훈 지휘자가 지휘한 적도 있었다.

오페라극장 뒤편 도로 건너편에 카페 자허가 기다리고 있었다. 카페 자허(Café Sacher)가 유명한 것은 자허 토르테(Sacher Torte)때문인데 는 빈을 대표하는 디저트로 초콜릿을 넣어 반죽해 구운 스펀지 케이크에 살구잼을 바르고 초콜릿으로 전체를 코팅한 케이크를 말한다. 쌉싸름하고 진한 초콜릿과 상큼하고 달콤한 살구잼의 조화가 일품으로 다른 과일잼이 아닌 살구잼을 발라야 자허 토르테라고 불렸다. 자허 토르테의 유래는 1832년 우리에게 빈 체제로 잘 알려진 오스트리아 외무 장관 메테르니히가 자신의 요리사에게 디저트 준비를 맡기는데 몸이 안 좋아서 16살이던 수습생 프란츠 자허가 만들어진 것이었다. 그 후 자허는 빈에 카페 자허를 차렸고, 그의 아들 에두아르트 자허가 카페 위에 호텔을 올렸는데 그게 호텔 자허이며 지금까지 카페와 호텔은 남아 있다. 사실 자허 토르테가 세계적으로 명성을 가진 디저트가 된 것은 후에 호텔 자허와 에두아르드의 아들이 취직한 데멜 제과점의 원조 논쟁으로 인해 7년간 법정 공방이 이어진 것이 원인이었다.

전설의 카페 자허

173

우리는 디저트로 자허 토르테와 사과 파이로 볼 수 있는 아펠슈트루델을 시키고, 커피는 아인슈페너와 카페 멜란지를 주문했다. 아이는 따로 메뉴가 딱히 없어서 핫 초콜릿을 마셨다. 기대했던 자허 토르테는 원조이지만 퍼석한 느낌이 나서 생각보다 흡족하지는 못했다. 커피도 카페 문화의 본산답게 기대를 했지만, 명성에 비해 미치지 못한다는 느낌을 받았다. 지극히 개인적인 의견으로는 우리 동네 카페가 더 잘 만든다는 생각이 드는 건 어쩔 수 없었다. 나는 맛이 아쉬웠지만 아이는 맛있다며 싹싹 먹어 치웠다.

카페 멜란지와 자허 토르테

카페를 나와 황실 묘지가 있는 카푸친 교회를 지나서 갈 곳은 클래식 음악의 천재, 신동이라 일컬어지는 모차르트가 죽음을 맞이한 데스 하우스였다. 모차르트 데스 하우스(Mozart-Sterbehaus)는 빈에 있는 주택으로, 1791년 12월 5일 35세의 모차르트가 사망한 곳으로 유명한데, 현재 그 건물 자체는 없고 명판으로 이곳이 그가 죽음을 맞이한 곳이라 말해주고 있었다. 1790년에서 1791년까지 모차르트와 그의 가족은 거주했는데 그의 사망 원인은 정확히 알려지지 않았지만, 류머티즘열, 폐렴, 뇌졸중 등 다양한 가능성이 제기되고 있다. 장례 후 시신 수습이 제대로 안 되어 현재까지 행방을 몰랐다. 슈테판 대성당 가는 길에 모차르트가 빈에 거주했을 당시 살았던 빈 모차르트 아파트(Mozarthaus Vienna)도 갔다.

그가 죽은 곳과 살았던 곳

모차르트 아파트 바로 근처가 빈이 자랑하는 슈테판 대성당이었다. 프라하에 성 비투스 대성당이라면 빈은 슈테판 대성당이었다. 골목을 지나가면서도 거대한 첨탑이 보였다. 슈테판 대성당(Stephansdom) 은 가톨릭 성당으로 빈 대교구를 상징하는 성당이자 오스트리아를 대표하는 성당으로 반드시 들러야 할 곳 중 하나였다. 슈테판 광장 에 있는 이 성당은 1147년 로마네스크 양식으로 지어지기 시작해서 1258년 빈 대화재 당시 소실되었다가 1263년 보헤미아 왕에 의해 재건되었다. 이후 1359년 합스부르크 왕조에서 로마네스크 양식의 성당 대신 고딕 양식으로 개축했고, 후에 1683년 튀르키예와 1945

년 독일에 의해 파괴되었다가 제2차 세계 대전 이후 복원되었다. 성당 높이는 첨탑 포함하여 137m에 달하며, 천장 높이는 39m에 이르는 거대한 규모로 지하에는 카타콤이 자리 잡고 있다. 1782년 모차르트의 결혼식과 1791년 장례식이 치러진 곳으로 유명했다. 일단 앙커우어 인형 시계의 인형들이 전부 나오는 정오가 가까워져서 내부는 잠시 뒤에 입장하기로 하고 먼저 시계부터 보러 갔다.

기쁨의 싸대기

느릿느릿 움직이는 시계 인형들

바로 근처여서 찬바람을 뚫고 아이 손을 잡고 부지런히 시계 앞으로 갔다. 여행 비수기여서 그런지 사람들이 많지는 않았다. 앙커우어 인형 시계(Ankeruhr)는 오스트리아 빈에 위치한 앙커 보험 회사의 두 건물을 잇는 다리 위에 설치된 시계로서 1911년에 완공되었으며, 아르누보 양식의 화려한 외관과 매시 정각마다 등장하는 12개의 인형으로 유명했다. 시계의 중앙에는 둥근 원형의 시계판이 있으며, 그 주위에는 12개의 인형이 배치되어 있다. 인형들은 오스트리아를 대표하는 인물들로서 마리아 테레지아, 요제프 하이든, 볼프강 아마데우스 모차르트, 프란츠 슈베르트 등이 있다. 천천히 인형이 지나가는데 동영상을 10분 넘게 찍고 있자니 손이 시리고 목이 아팠다.

동영상을 찍고 나서 다시 슈테판 대성당으로 갔다. 성당 안으로 들어가니 미사 중이어서 본당 제단으로는 갈 수 없었지만 미사 하는 광경을 볼 수 있어서 의미가 있었다. 내부를 전체적으로 유심히 볼 수 있어서 좋았는데, 정석적인 유럽의 대성당 같은 느낌이 들어서 감동이 크진 않았다. 그러나 모차르트의 흔적이 있기에 다르게 다가왔다.

역사의 재미란 이런 게 아닐까 싶었다. 같은 공간이지만 다른 시간
에 있으며 서로 다른 인간을 만날 수 있기 때문에 매력적이었다.

정석적인 거대한 유럽의 성당

점심 식사할 때가 되어 아내가 찾아 놓은 슈니첼 전문 레스토랑으로
갔다. 그리 멀지 않은 곳이어서 우리는 찬바람 사이를 피해 서둘러
식당이 있는 쪽으로 갔다. 골목으로 들어가는 구조였는데, 역사가 깊
은 곳이라는 것을 식당 안팎의 모습만 봐도 알 수 있었다. 우리는
슈니첼과 송아지 간 요리, 드레싱이 독특한 감자 샐러드를 시켰다.
그리고 포도 농장이 따로 있다고 해서 하우스 와인 두 잔과 포도
주스를 주문했다. 주문한 요리가 기대 이상으로 맛있어서 유쾌하게
즐길 수 있었다.

대만족한 식당

주관적인 오스트리아 최고의 맛

식사를 하고 나서 성 베드로 성당에 들렀다가 카페 자허, 카페 첸트랄과 더불어 빈에서 유서 깊은 카페인 카페 데멜을 지나갔다. 우리는 먼저 13세기 프란체스코 수도회가 설립한 고딕 양식 성당으로, 다빈치의 '최후의 만찬'을 따라 그린 모자이크화가 유명한 미노리텐 교회(Wiener Minoritenkirche)로 갔는데 문이 닫혀 안에 들어갈 수가 없었다. 찬바람과 함께 아쉬움을 삼키고 그다음 여정을 위해 잠시 쉬었다 갈 카페 첸트랄로 갔다. 카페 자허는 아침에 가서 대기가 없었는데 여기는 점심시간 후라서 이미 만석이라 5분 정도 대기를 한 후 입장할 수 있었다.

여기서도 느껴지는 아르누보

1876년에 설립된 카페 첸트랄(Café Central)은 화려한 아르누보 양식의 건축물로 유명했다. 내부는 샹들리에와 대리석 기둥, 벽화 등으로 장식되어 있으며, 고풍스러운 분위기를 자아냈다. 많은 유명인이 방문했던 곳으로도 유명해서 알프레드 히치콕, 프란츠 카프카, 에리히 마리아 레마르크 등 세계적인 작가와 예술가들이 이곳 문턱을 드나들었다. 나는 카페 첸트랄 커피, 아내는 카페 베르커트, 아이는 첸트랄에서 파는 사과 에이드를 시켰다. 다른 카페와 다르게 간단한 식사도 팔아서 늦은 점심을 먹는 사람들도 있었다.

카페에서 나와서 또 다른 성당을 보러 갔다. 아이는 질릴 법도 했는데 이제는 체념했는지 싫은 내색 안 하고 잘 따라줘서 고마웠다. 우리가 간 아일랜드 베네딕트 수도사의 성당(Schottenkirche)은 12세기에 아일랜드 베네딕트 수도사들이 세웠으며, 빈에서 상당히 오래된 교회 중 하나였다. 로마네스크 양식으로 지어졌으며, 14세기에 고딕 양식으로 개조되었다. 성당의 내부에는 14세기의 스테인드글라스, 15세기의 제단화, 그리고 16세기의 오르간 등이 있다. 내부 분위기가 전에 갔던 프라하의 스트라호프 수도원 내부와 닮아서 어떤 건축 양식이 있는지 궁금했다.

한 블록 떨어진 곳에 있는 베토벤 기념관(Wien Museum Beethoven Pasqualatihaus)은 루트비히 판 베토벤의 생애와 음악을 기념하기 위해 1872년 건립되었다. 음악의 도시답게 이런 집들이 곳곳에 있었다. 이곳은 베토벤이 1804년부터 1808년까지 거주했던 집을 개조하여 만들었으며, 베토벤은 이곳에서 교향곡 3번 '영웅'과 5번 '운명'을 작곡했다. 루트비히 판 베토벤은 독일의 클래식 작곡가이자 피아니스트로 독일 본에서 태어났지만, 활동은 빈에서 주로 해서 이곳이 그의 주 무대라고 할 수 있다. 이름에서 알 수 있듯이 귀족 출신으로 아버지 요한에게 음악을 배웠다. 유명한 일화는 교향곡의 아버지 하이든을 만난 것인데 하이든의 바쁜 일정 탓인지 스승과 제자라고 말하기엔 베토벤 자신이 생각할 때 그리 배운 것은 없다고 생각했다. 그리고 청력을 잃게 된 사건인데 점진적으로 듣는 것이 약해지면서 어려움을 겪었다. 사실 이 시대 음악가들은 녹음 기술이 없고, 보청 기술이 발달하지 않았기 때문에 한 번 작곡하고 수정하는 게 어려운 것이지만, 베토벤은 그보다 더 어려운 시기를 겪어야만 했다.

모차르트에 이어서 베토벤이 살았던 곳까지

숙소로 돌아가는 길에 지나간 헬덴 광장(Heldenplatz)은 인네레슈타
트 지구의 호프부르크 왕궁 앞에 위치해 있는 광장으로 1888년에
완공되었으며, 당시 오스트리아-헝가리 제국의 영광을 기념하기 위
해 조성되었다. 광장의 중앙에는 오스만 튀르크를 물리친 프랑스 출
신 장군인 오이겐 공의 기마상이 있었다. 역사적인 사건의 현장으로
는 1938년 3월 15일 나치 독일의 오스트리아 병합 당시 아돌프 히
틀러가 연설을 한 것으로 잘 알려져 있다. 마침 광장에서 오스트리
아 군악대 열병식과 행진이 있어서 좋은 구경을 했다.

광장을 끼고 있는 호프부르크 왕궁(Hofburg)은 합스부르크 왕조의
궁전으로 오스트리아 공국 시절부터 해서 합스부르크 제국, 오스트
리아 제국, 오스트리아-헝가리 제국을 거치며 오랜 기간 권력의 중
심지였으며, 지금도 대통령 궁으로 존재감을 드러내고 있다. 선대 군
주가 사용한 방은 사용하지 않는다는 특이한 가문의 특징 때문에 방

이 굉장히 많은 궁전으로 유명했다. 여러 왕실 보물에서 인상 깊은 것은 나폴레옹 2세가 사용했다는 침대가 있다는 점이었다. 나폴레옹 과 신성 로마 제국의 마지막 황제 프란츠 2세의 딸로 왕후가 된 마리 루이즈 사이에서 태어난 아들인 나폴레옹 2세는 오스트리아 쇤브룬 궁전에서 21세의 이른 나이에 사망했다. 왕실 마구간은 현재 승마 학교로 사용되고 있으며, 왕실 도서관은 오스트리아 국립 도서관으로 사용되고 있다.

모차르트 동상 앞에서 아이

궁전 뒤편에 있는 왕궁 정원(Burggarten)은 1809년 나폴레옹의 침략 이후 1819년 프란츠 2세가 만든 개인 정원이었다. 제1차 세계 대전 이후 공화국이 되면서 민중들에게 개방되었다. 1948년에 세워진 헤라클레스 분수 뒤로 황실 나비 박물관이 자리 잡고 있고, 1781년에 세워져 빈에서 가장 오래된 프란츠 슈테판 황제의 기마상, 1957년에 세운 프란츠 요제프 1세 황제 동상 등이 있다. 가장 유명한 것은 모차르트 동상으로 높은 음자리표 모양이 아름다운 화단과 함께 이곳이 왕궁 정원인 것을 알리고 있다. 겨울이어서 그다지 아름답지는 않았지만, 우리도 이곳에서 사진을 남기며 모차르트를 기억했다.

노을이 지고, 밤이 다가오는 빈은 너무나 아름다웠다. 특히 오페라극장 앞 도로 주변이 압권이어서 걷기만 해도 좋았다. 우리는 숙소로 계속 걸어가서 거의 도착할 때쯤 보인 마트에 들어가 빵, 마늘, 과일, 달걀, 냉동 새우, 파스타, 맥주, 샴페인, 와인, 소고기 등심과 안심, 돼지고기 안심, 아이스티, 아이란, 샐러드 채소 등을 양팔이 무거울 정도로 샀다. 거의 20만 원어치 장을 봤는데, 체코보다는 비싸지만, 우리나라보다는 싼 것 같았다. 숙소에 와서는 메뉴 추천을 받아서 갈릭 쉬림프, 소고기 등심과 안심 스테이크, 돼지고기 안심 구이, 샐러드와 샴페인으로 만찬을 즐겼다. 좋은 날씨 속에서 좋은 경험을 한 빈에서의 하루였다.

Wolfgang Amadeus Mozart

2024년 1월 16일(화)(13일째)-잘츠부르크

알람 소리에 맞춰 벌떡 일어났다. 사실 조금 더 자고 싶었지만, 아침부터 기차를 타야 해서 부리나케 나갈 채비를 마쳤다. 아이도 일찍 일어나 준비를 마쳤다. 숙소 맨션 건물을 나오는데 오래된 집이라 그런지 대문이 제대로 안 열려서 당황했다. 늦을까 봐 몇 번 급하게 시도한 끝에 겨우 열렸다. 우리는 입김을 호호 불며 중앙역까지 금방 걸어왔다. 열차 시간과 플랫폼 확인까지 하고 여유롭게 매점에 가서 커피와 요거트를 산 다음 플랫폼으로 갔다. 이미 많은 사람이 타는 중이었고, 우리도 탔는데 우리가 예약한 열차 번호와 철도 어플에서 알림 온 번호가 달라 일단 좌석을 찾을 수 없었다. 열차 이정표에는 잘츠부르크를 간다고 명시되어 있는데 번호가 다르니 두 번째 당황이 찾아왔다. 출발 시간이 다 되어 일단 2등급 칸으로 가서 빈자리를 골라 앉았다. 기차가 흔들림이나 답답함 없이 좋긴 한데 이런 변수가 유럽에서 종종 있어서 버스가 차라리 낫겠다는 생각이 들긴 했다. 그리고 우리나라 철도 시스템이 정말 좋다는 걸 새삼 이번 여행에서 많이 느꼈다.

잘츠부르크까지 갈 물약

오스트리아의 목가적인 풍경을 지나서 오전 11시가 다 되어갈 때쯤 알프스와 가까이 있는 잘츠부르크(Salzburg)에 도착했다. 세상에서는 어떤 도시의 특징을 지칭할 때 무엇의 수도라는 말을 많이 쓴다. 파리는 예술의 수도, 로마는 문명의 수도, 빈은 음악의 수도라는 세계 구급 표현을 쓰는데 잘츠부르크는 도시가 작아도 그에 못지않은 음악의 도시라고 생각했다. 그 이유는 무엇보다 클래식의 영원한 상징 볼프강 아마데우스 모차르트가 태어났으며, 현대 클래식의 거장 헤르베르트 폰 카라얀의 고향이기 때문이었다. 영화를 좋아하는 이들이라면 '사운드 오브 뮤직'의 실제 촬영 배경이라서 인구 15만 명의 작은 도시에 연간 3,000만 명에 가까운 인원이 방문했다. 도시는 로마 제국 시대부터 있던 도시로 옛날에는 소금 광산이 있어서 도시 이름인 잘츠도 소금(Salz)이라는 뜻이었다.

모차르트의 고향에 도착

역에서 나온 우리는 제일 먼저 미라벨 궁으로 향했다. 화창한 날씨 덕분에 거리를 걷는 것조차 기분 좋게 느껴졌다. 미라벨 궁(Schloss Mirabell)은 영화 '사운드 오브 뮤직'의 배경으로 유명한데 본래 이름은 알테나우 궁전으로 18세기 초 건축가 힐데브란트가 개축한 뒤 아름답다는 뜻으로 미라벨 궁으로 불렸다. 바로크 양식의 궁전이며 1606년 대주교 볼프 디트리히가 애인 잘로메 알트와 낳은 15명의 자식을 위해 지은 궁전이었다. 1950년부터는 시청사로 사용한다고 했다. 모차르트가 6살 때 대주교 가족을 위해 연주한 대리석의 방(Marmor Saal)이 있으며 지금도 연주회가 열렸다. 겨울이라서 정원을 제대로 감상할 수 없는 게 아쉬웠다.

아름다운 정원은 상상 속으로

궁을 나와서 간 모차르트의 집(Mozart-Wohnhaus)은 모차르트 기념관으로 그가 17살까지 살았던 대성당 근처의 모차르트 생가에서 이사해 1773년부터 1780년에 살았던 곳이며 중심가에 자리 잡고 있었다. 모차르트 남매가 잘츠부르크를 떠난 다음에는 아버지 레오폴트 모차르트가 혼자 살다가 사망했으며, 제2차 세계 대전 당시 파손되어 복원한 다음 1996년 재개관하였다. 사진을 찍는데 아이는 오늘도 클래식 음악 관련된 것만 찾아다니니 아빠 투어냐고 물어봤다. 볼프강 아마데우스 모차르트(Wolfgang Amadeus Mozart)는 1756년 1월 27일에 태어나 1791년 12월 5일에 사망한 전무후무한 클래식의 천재 음악가로서 모든 이들이 처음 클래식을 접하게 된다면 반드시 만나게 되는 인물이라고 해도 과언이 아니었다. 궁정 음악가였던 아버지 레오폴트 모차르트에게 바이올린과 피아노를 배우고, 요한 제바스티안 바흐의 아들인 요한 크리스티안 바흐에게 작곡과 지휘를 배웠다. 35년이라는 짧은 인생에서 만든 수많은 교향곡, 협주곡, 소나타, 오페라 등은 어느 하나 거를 것 없이 명곡으로 추앙받으며 음악의 신동은 영원불멸의 삶을 살고 있다. 모차르트 생가를 가기 위해 잘차흐강을 건너야 했는데 바로 건너가지 않고 조금 더 돌아 모차르트 다리까지 걸어갔다. 모차르트 다리(Mozartsteg)는 잘츠부르크를 가로지르는 잘차흐강에 놓인 다리로 1903년 개인이 만든 철제 다리였다. 영화 '사운드 오브 뮤직'에서 아이들이 도레미 송을 부르며 다리를 건너는 장면이 유명했다. 우리는 다리를 건넌 다음 강변을 따라 걸어서 옛 시가지 쪽으로 들어갔다.

유유히 흐르는 잘차흐강

노란색이 인상 깊은 모차르트 생가(Mozarts Geburtshaus)는 1756년 1월 27일 모차르트가 태어난 집으로 잘차흐강을 건너서 위치해 있다. 이미 노란색 건물을 보자마자 나는 살짝 흥분해 있었다. 잘츠부르크에 와서 여기를 꼭 가고 싶었기 때문이었다. 모차르트 가족은 1747년부터 1773년까지 이 건물 3층에서 살았으며 모차르트 역시

3층에서 세상 밖으로 나왔다. 모차르트가 태어난 방에 들어갔을 때는 기분이 묘했다. 1층에는 그가 사용했던 피아노, 바이올린, 자필 악보 등이 있으며, 2층에는 오페라 '마술피리' 초연 당시 사용한 것과 같은 소품이 있었다. 3층과 4층은 그의 가족이 생활하던 모습이 소개되어 있었다. 실제 옛 거주 규모를 볼 수 있었는데 그의 잘츠부르크에서 빈까지 삶의 궤적을 어느 정도 살펴볼 수 있었다. 아쉬운 건 그의 아들들이 모두 결혼하지 않고 아이도 낳지 않아서 그의 아들 대에 맥이 끊겨버린 것이었다. 빈에서 봤던 모차르트가 죽음을 맞이한 곳과 여기 태어난 곳을 와보니 기분이 뭔가 표현하기 어려운 감정이 들었다.

음악의 신동이 태어난 장소

생가가 있는 게트라이데 거리(Getreidegasse)는 개성 있는 철제 간판들이 모여 있는 유럽의 거리를 그대로 보여주는 곳으로서 역사가 오래된 쇼핑 거리였다. 이곳을 가다가 아이가 좋아하는 치즈 가게가 있어서 시식을 해보는데 연필 깎기처럼 치즈를 깎아주며 시식하는 걸 아이가 무척 신기해했다. 들린 김에 치즈는 안 사고 겨자 페이스트를 하나 샀다. 우리는 잠시 쉬었다 가기 위해 잘츠부르크의 명물 중 하나인 모차르트 쿠겔을 사기 위해 카페 콘디토레이 퓌르스트(Cafe Konditorei Fürst)로 갔다. 정감 있는 좁은 길을 지나 도착한 카페는 1890년에 제과업자 폴 퓌르스트가 설립한 곳으로 맛있는 페이스트리, 케이크 등을 팔았다. 나와 아내는 더블 에스프레소와 카페 라테를 주문했는데 이런 전통 있는 카페에서도 커피 머신으로 내려 주는 게 의아했다. 호텔 조식에나 있을 법한 걸로 내려 주는데, 우리나라 같으면 상상하기 어려웠다. 독일 문화권에서는 일반적인 것 같은데 지금까지 갔던 다른 유럽 국가들에서는 보기 힘들어서 이번 여행 다니면서 카페에 갈 때마다 낯설었다. 아이는 오렌지 주스에 디저트로 레몬 페이스트리, 딸기 조각 케이크를 샀는데 맛은 우리나라 카페가 훨씬 맛있는 것 같아서 자꾸 비교하게 되었다. 그러고 보니 오스트리아 카페 역사가 굉장히 길고 격이 있을 테지만 맛만큼은 한국이 앞서있는 듯했다.

잠깐 쉼표

이 카페에 온 이유인 모차르트 쿠겔 때문이었다. 그 유명한 모차르트 쿠겔이 여기서 탄생했는데, 오리지널 잘츠부르크 모차르트 쿠겔(Original Salzburger Mozartkugel)로 불렸다. 부드러운 헤이즐넛 프랄린 코어에 섬세한 마지팬 껍질을 입히고 다크 초콜릿으로 코팅한 것으로 한 입 먹을 때마다 질감이 조화롭게 어우러져 과연 다르구나 싶었다. 10개가 들어간 봉지 하나를 샀는데 다른 회사 제품이나 기념품 가게에서 파는 것보다 4배는 비싼 가격으로 판매해서 아껴 먹어야 했다. 모차르트 쿠겔은 독일어로 '모차르트 공'을 의미하는 둥근 모양의 초콜릿으로서 처음에는 모차르트 봉봉(Mozart-bonbon)으로 불렸으나, 이후 모차르트 쿠겔로 바뀌었다.

사악한 가격의 오리지널 모차르트 쿠겔

카페에서 나와 조용한 거리를 걸으니 모차르트 광장이 나왔다. 모차르트 광장(Mozart Platz)은 호엔잘츠부르크성 아래 위치한 광장으로 볼프 디트리히 폰 라이테나우 대주교가 17세기 초 많은 집을 헐어버리고 광장으로 만든 곳이었다. 중앙에 모차르트 동상이 있는데 이는 바바리아의 왕 루트비히 1세가 돈을 내어 만들었으며 1842년 공개되었다. 이때 모차르트 자식들이 제막식 때 왔다고 했다. 지금은 겨울이라 한가로이 사람들이 스케이트를 탈 수 있는 아이스링크장으로 변모해 있었다. 바로 옆에 있는 거대한 잘츠부르크 대성당(Salzburger Dom)은 바로크 양식의 건물로 6,000개의 파이프가 든 유럽에서 가장 큰 파이프 오르간이 있으며 가톨릭 전파에 큰 공헌을 한 성당이었다. 역시 모차르트 이야기가 빠질 수 없는데 그가 이곳에서 영세를 받았고, 어린 시절 미사 참례를 하면서 오르간과 피아노 연주를 했다. 744년에 지어졌으며 1598년에 대화재로 불탔다가 1628년에 재건되었다. 제2차 세계 대전 당시 일부가 파괴되었다가 다시 1959년에 복구되었다. 그래서 문 위에 이 숫자들이 있었다.

성당을 지나 우리는 호엔잘츠부르크성을 향해 걸어갔다. 어차피 안 탔겠지만, 겨울이라 그런지 푸니쿨라 운행은 하지 않고 직접 걸어 올라가야 했다. 그리 높지 않아서 금방 올랐는데 아이는 꽤 힘들어 해서 운동 부족이 의심되었다. 올라가서 본 경치는 순식간에 바뀌어 있어서 신기했다. 호엔잘츠부르크성(Festung Hohensalzburg)은 중부 유럽의 성채 중에서 가장 완벽하게 보존된 성으로서 해발 542m에 위치해 있는 방어용 성이었다. 1077년 신성로마제국 황제와 로마 교황 사이 서임권 투쟁을 벌이던 당시에 대주교 게프하르트가 남부 독일의 침략을 막기 위해 지어졌으며, 1618년 대주교 막스에 의해 지금의 모습이 되었다. 옛 모습 그대로 보존된 이유는 한 번도 점령당한 적이 없기 때문이었다. 산성치고는 꽤 규모도 커서 작은 마을 같은 모습도 연출되었다. 여기서 바라보는 잘츠부르크 시내 경치도 멋졌지만, 알프스산맥 쪽을 보았을 때 경치가 너무 멋져서 마치 도시를 떠난 기분마저 들었다. 앞서 걸어서 풍경을 본 나는 아내의 눈을 감긴 다음 난간에서 눈을 뜨라 하고 보여주니 탄성을 질렀다. 한참 바라보며 잊지 않기 위해 두 눈에 꾹꾹 눌러 담았다.

감탄이 절로 나오는 풍경

배가 출출해질 때까지 안을 둘러보다가 내려왔다. 내려오는 길에 아이는 넘어져 길에 뿌려놓은 염화칼슘이 바지에 잔뜩 묻었다. 저녁 식사를 하기 위해 역 쪽으로 걸어오는데 점점 노을 지는 거리와 건물, 하늘이 분홍빛으로 물들어갔다. 저녁 식사는 역 근처 식당을 찾아서 잘츠부르크 스타일 슈니첼, 스페인 해산물 스튜, 치즈 뇨끼를 주문했다. 이 지역 맥주도 주문해서 아내는 색다른 맛을 느껴보았다. 다 맛있는데 특히 해산물 스튜가 한국인의 입맛에 어울려 다들 식사 후에는 미소가 지어졌다. 식당 주방장이 한국인의 입맛을 너무 잘 아는 듯했다. 두둑한 배를 두드리며 역으로 와서는 마트와 책방 구경을 하고, 이곳이 소금으로 유명한 곳이라 기념품으로 잘츠부르크 소금 광산에서 생산된 암염을 구매했다. 요리할 때 쓰면 무슨 맛을 낼지 기대가 되었다. 다시 기차를 타고, 2시간 30분을 달려 한밤에 다시 빈으로 돌아왔다.

후회 없는 선택

분홍빛으로 물들어가는 도시

잘츠부르크의 여기

우리가 걷고, 바라본 곳들

미라벨 궁(Schloss Mirabell)

모차르트의 집(Mozart-Wohnhaus)

모차르트 다리(Mozartsteg)

카페 콘디토레이 퓌르스트(Cafe Konditorei Fürst)

모차르트 생가(Mozarts Geburtshaus)

모차르트 광장(Mozart Platz)

잘츠부르크 대성당(Salzburger Dom)

호엔잘츠부르크성(Festung Hohensalzburg)

동유럽의 숨겨둔 진주

2024년 1월 17일(수)(14일째)-브라티슬라바

어제처럼 기차로 시작하는 당일치기 여행이기 때문에 알람 소리에 벌떡 일어나서 간단히 아침 식사를 하고 밖으로 나갔다. 숙소가 중앙역과 가까워서 이런 이동하기에는 매우 편리했다. 평일 아침부터 국경을 넘어가는 사람은 많지 않은지 슬로바키아에 가는 플랫폼은 한산했다. 어제 잘츠부르크는 북적였는데 브라티슬라바는 비즈니스나 여행 등 교류가 많지 않은 느낌이었다. 기차를 타고 한 시간 정도를 가니 슬로바키아 브라티슬라바에 도착했다. 국경선이 무의미한 EU에 속한 이웃 나라이고 얼마 안 되는 이동 거리지만, 나라가 달라지니 분위기도 확실히 달라졌다. 인구가 50만이 채 안된다고 하니 중앙역도 그렇게 크지 않고 차분한 느낌을 첫인상으로 받았다.

국경 넘는 중

브라티슬라바(Bratislava)는 오스트리아 빈과 트윈 수도로 유명한 슬로바키아의 수도로서 헝가리의 부다페스트처럼 도나우강을 끼고 있으며 인구는 약 43만 명으로 그리 크지는 않았다. 수도 치고는 국경 인근에 있어서 세계에서 유일하게 2개의 국가와 국경을 접하는 수도라는 이색 기록을 가지고 있다. 역사를 살펴보면 기원전 5세기 초부터 켈트족이 살고 있었고, 1세기부터는 로마 제국의 지배를 받았고, 5세기부터 슬라브족이 와서 살기 시작했다. 헝가리의 마차시 1세 국왕이 다스릴 때 큰 발전을 이루었다. 1536년부터 1783년까지 헝가리 왕국의 수도 역할을 했어서 헝가리 국왕 11명의 대관식이 이곳에 있는 성 마르틴 대성당에서 거행되었다. 제1차 세계 대전 종전 이후 오스트리아-헝가리 제국이 해체되면서 체코 슬로바키아의 지배를 받다가 두 나라가 분리되면서 슬로바키아의 수도가 되었다. 그런데 오랜 역사치고는 도시에 남아 있는 유적의 규모를 보았을 때는 그리 크지 않아서 조금 의아하긴 했다.

브라티슬라바의 첫 인상

옛 공산주의 시절 분위기가 나는 거리를 걸어가니 보이는 그리살코비흐 궁전(Prezidentský palác)은 현재 슬로바키아 대통령의 관저로 사용되고 있는 곳이었다. 궁전은 1760년에 지어졌으며, 바로크 양식과 로코코 양식이 혼합된 건축 양식을 가지고 있다. 18세기부터 오스트리아의 귀족 가문들이 소유하고 있었고, 오스트리아-헝가리 제국 붕괴 이후 1918년부터 1993년까지는 체코슬로바키아의 대통령 관저로 사용되었다. 그 사이 이 나라는 소련의 영향력 아래 사회주의 국가가 되었고, 벨벳 혁명 이후 민주화가 되었다가 1992년 12월

31일 슬로바키아와 체코가 분리된 이후에는 슬로바키아 대통령의 관저로 사용되고 있었다.

이 도시에는 이색적인 동상이 거리 곳곳에 많아서 우리는 걸어 다니며 그런 동상을 찾는 것도 소소한 재미였다. 가장 먼저 찾은 스케이터 소녀 우체통(Skater Gril's Mailbox)은 2017년에 설치되었으며, 브라티슬라바의 스케이터 소녀를 기념하기 위해 만들어졌다. 트램이 다니는 큰 도로를 건너니 이정표 같은 미하엘 문이 우리를 맞이했다. 미하엘 문(Michalská brána)은 중세 요새의 유일하게 남아 있는 도시 문으로, 1300년경에 지어졌다. 현재의 모습은 1758년 바로크 양식으로 재건된 것이었다. 6층 높이의 석조 탑으로, 높이는 51m이며 탑의 꼭대기에는 성 미카엘이 용을 밟고 서 있는 조각상이 있다. 성 미카엘이 있는 이유는 악마를 물리치는 천사로 브라티슬라바의 수호성인이기 때문이었다. 미하엘 문을 지나서 소박하고 정갈한 느낌이 편안한 헝가리의 성 스테판 성당에서 잠시 기도드리고 나왔다.

소박해서 좋았던 성당

그다음 간 성 마르틴 대성당(Dóm sv. Martina)은 13세기 고딕과 로마네스크 양식의 성당으로서 1245년에 지어졌으며, 1563년부터 1830년까지는 헝가리 왕국의 왕관을 보관하는 곳으로 사용되었다. 이곳이 오스트리아 영토였을 때는 대관식이 열렸던 유서 깊은 곳이었다. 우리가 들어갔을 때는 미사 중이어서 제단까지 갈 수는 없었고 안에서 살펴보는 정도에 그쳤다. 성에 올라가기 전 잠시 쉬기 위해서 성당 옆에 있는 카페에 가서 라테 마키아토, 도피오, 핫 초콜릿과 체리 조각 케이크를 주문해서 여유를 즐겼다. 슬로바키아 할머니들 모임이 있는지 꽤 와자지껄했으나 그 분위기도 재미있었다.

슬로바키아만의 매력을 가진 성당

우리는 카페를 나와 브라티슬라바성(Bratislavský hrad)으로 걸어 올라갔다. 가는 길에 웬 거대한 마녀 동상이 있어서 궁금증을 자아 냈다. 도나우강으로 혹시 마녀 사형을 해서 소녀 혹은 여성들을 던 졌나 하는 생각이 들었다. 성으로 올라가는 길은 높지 않아서 10분 이면 다 올라갔다. 정갈하면서 소박해 보이는 이 성은 바로크 양식 의 성으로 서기 907년에 지어졌으며, 1811년 화재로 소실되었지만, 1950년대에 복원되었다. 느낌이 왠지 으스스해 보이는 성에는 국립 박물관이 있으며, 슬로바키아의 역사와 문화에 대한 다양한 전시물 을 볼 수 있었다. 이곳에 올라와서 무엇보다 압권은 성에서 브라티 슬라바 시내의 아름다운 전망과 도나우강의 푸른 물결을 연결하는 SNP다리(UFO)를 볼 수 있다는 것이었다. 도도히 흘러가는 도나우 강은 이 나라가 내륙 국가가 아니라 항구가 있는 국가라는 것을 보 여주는 듯했다.

무엇을 하는 마녀인가

206

브라티슬라바 시가지

동유럽의 또 다른 매력을 찾은 곳

한참 성에서 브라티슬라바 시가지를 바라보고 터벅터벅 내려왔다. 열심히 성까지 올라오고 내려간 아이를 위해 시내로 와서 젤라토를 사주겠다고 약속했는데 그 가게가 영업을 하지 않았다. 이후 네 곳을 더 찾아갔으나 다 영업을 안 해서 하늘이 무너질 듯한 상황이라 아이 표정이 좋지 않았다. 하지만 어쩔 수 없는 일이었다. 막시밀리아노바 폰타나 광장에 이색적인 동상이 많아서 사진을 찍으며 작은 재미를 찾았다. 먼저 맨홀 아저씨 동상(Čumil)은 1997년 슬로바키아 조각가 빅토르 훌리크가 제작했으며, 맨홀 입구에 몸을 걸치고 쉬면서 행인들을 바라보고 있는 하수도 작업 노동자의 이색적인 청동상으로 눈길을 끌었다. 추밀은 일하는 사람이라는 뜻이었다. 뭔가 의미 있는 것 같은데 별다른 의미가 없는 동상이라고 하니 보는 사람들의 시선이 곧 의미 같았다.

맨홀에 빠진 아저씨

다음으로 유쾌한 숀 나치(Schöne Náci)가 등장해서 모자 사이로 얼굴을 넣으며 사진을 남겼다. 그는 이곳 거리에서 40년 가까이 지내며 늘 웃으며 사람을 돕던 실존 인물로서 브라티슬라바 사람들에게 사랑받던 캐릭터였다. 여타의 다른 동상과는 다르게 실제로 살았던 사람을 거리의 동상으로 만들었다. 그리고 나폴레옹의 군인(Napoleon Army Soldier)은 벤치 뒤에 있는 동상인데, 나폴레옹 시절의 군복을 입은 청동상이 걸쳐있는 의자였다. 별명은 엿듣는 사람이라더니 벤치에 앉아 있는 사람들의 대화를 듣는 듯했다.

시민 같은 동상들

광장을 둘러보고 점심 식사를 하기 위해 근처 슬로바키아 식당을 찾았다. 나름 유명한 식당이어서 기대를 하고 주문했는데 유명한 마늘 수프는 나에겐 느끼하며 밍밍한 사골 맛이 났고, 추천받은 돼지고기 요리는 기름지고 맛이 끌리지 않아서 아쉬움이 있었다. 여행에서 처음으로 많이 남긴 점심을 먹고 나서 마지막 일정이라 할 수 있는 파란 성당을 찾아 나섰다. 브라티슬라바의 파란 성당(Farský kostol sv. Alžbety)은 1900년대 초 아르누보 양식으로 설계되었으며 연한 푸른색이 인상적인 교회로서, 성 엘리자벳 성당으로도 알려져 있다. 성 엘리자벳은 헝가리의 왕비이자 로마 가톨릭의 성인으로 유명했다. 내부와 외부 모두 화려한 장식이 특징인데, 내부는 아르누보 양식의 스테인드글라스와 조각으로 장식되어 있으며 외부는 연한 푸른색의 타일로 장식되어 있었다. 포근한 색감과 건축 느낌이어서 오랫동안 보고 싶은 색다른 성당이 있다.

동화 속 성당

그러고 나서 아이가 한국 라면을 너무 먹고 싶어 해서 대형 마트를 두 군데 찾았지만, 찾지 못해 아쉬웠다. 빈손으로 나와서 허탈했지만, 어제부터 내 신발 밑창이 찢어져 눈을 밟으면 양말이 젖을 정도로 구멍이 생기고 있어서 신발을 사러 의류 매장을 찾았다. 마침 세일하는 신발이 있어서 운 좋게도 45유로 신발을 13유로로 구입할 수 있었다. 15년 전에 사서 여행 다닐 때 신었던 신발에게 안녕을 고하고 새 신발을 신게 되니 뭔가 나도 나이가 들었구나 하는 기분이 느껴졌다.

저녁 식사는 미리 찾아 놓은 슬로바키아 식당으로 갔다. 삐걱거리는
마룻바닥 소리가 정겹게 느껴지는 인테리어에 한쪽 벽면에 쓰인 스
름트 야노시코바(Jánošík's Death)는 슬로바키아의 시인 야네스 보
토가 1862년에 쓴 서사시로서 슬로바키아의 민중 영웅인 야노시코
의 삶과 죽음을 다루고 있었다. 야노시코는 18세기 후반에 슬로바키
아의 트렌친 지방에서 태어난 실존 인물로 부패한 지주들과 헝가리
귀족들의 착취에 맞서 싸우는 산적대의 두목이었다. 야노시코는 백
성들의 사랑을 받았지만, 결국 체포되어 처형당했던 인물로 우리의
임꺽정과 닮아있었다. 이것만 봐도 진짜 슬로바키아 식당에 온 듯해
서 기대가 되었다.

진짜 슬로바키아 식당

우리는 염소젖으로 만든 감자 뇨끼, 염소 치즈 만두, 마늘 수프를 주
문하고 음료는 로컬 하우스 맥주, 라들러, 오렌지 주스를 마셨다. 여
기서는 다르게 불릴 요리겠지만 편의상 뇨끼라고 부른 요리는 씹는
식감이 너무 좋아서 맛있었고, 만두 역시 염소젖 특유의 쿰쿰함을
잘 살렸다. 종업원이 괜찮냐고 물어볼 때 음식이 맛있다며 연신 칭
찬했다. 마늘 수프도 점심때 먹은 것보다 간이 맞고 진했다. 즐겁게
먹고 흑맥주와 코폴라를 추가로 시켰고, 아이는 누텔라 만두를 디저
트로 주문해서 먹었다. 쫀득한 반죽 안에 꾸덕한 누텔라가 나오는데

신기했다. 여기 식사가 마음에 들어서 이 식당에서 파는 15유로짜리 티셔츠도 구입했다. 물가가 싸서 이렇게 하고도 61유로밖에 안 나왔다. 어제 잘츠부르크에서 80유로가 넘게 나온 걸 생각하면 차이가 더 크게 느껴졌다.

슬로바키아 맛집

중앙역까지 걸어오면서 생각하건대 이 도시가 친절하고 동유럽 감성에 물가도 저렴하지만, 우리 같은 자유 여행객을 불러 모으기엔 유명한 역사 문화 지역이나 체험, 자연경관이 있어야 하는데 아직 그런 쪽으로는 덜 알려지고 개발된 듯해서 오스트리아와 헝가리 여행객 중 여유 시간이 있지 않은 이상 방문하기는 힘들 것 같았다. 그래도 시간 내서 이렇게 방문한다면 비슷한 것 같지만 다른 나라의 매력을 느낄 수 있다. 이렇게 새로운 나라, 새로운 도시를 경험하고 다시 우리는 야간열차를 타고 잠자리가 있는 빈으로 갔다.

브라티슬라바에서 다시 출발

브라티슬라바의 여기

우리가 걷고, 바라본 곳들

그리살코비호 궁전(Prezidentský palác)

스케이터 소녀 우체통(Skater Gril´s Mailbox)

미하엘 문(Michalská brána)

성 마르틴 대성당(Dóm sv. Martina)

브라티슬라바성(Bratislavský hrad)

UFO다리(Most SNP (Nový most))

맨홀 아저씨 동상(Čumil)

유쾌한 숀 나치 동상(Schöne Náci)

나폴레옹의 군인 동상(Napoleon Army Soldier)

파란 성당(Farský kostol sv. Alžbety)

예술의 향연

2024년 1월 18일(목)(15일째)-빈

빈에서 일정을 소화하는 날이어서 여행 온 이후 처음으로 푹 자고 여유롭게 일어났다. 숙소에서 아침 식사를 간단하게 하고 채도가 높아진 거리로 나왔다. 밤사이 비가 와서 그런지 거리는 더욱 짙은 색감으로 우리를 맞이했다. 주된 일정을 소화할 미술사 박물관을 향해서 부지런히 걸어가는데 현장학습 나왔는지 단체로 다니는 빈 아이들이 눈에 보여서 정겨웠다. 맨 앞에 선생님이 가고 왁자지껄한 아이들이 뒤따라가는 모습이 우리나라와 똑 닮았다. 가는 길에 보인 모차르트 벽화가 정겨웠다. 숙소에서부터 한 30분 걸어서 반나절 일정을 꽉 채워줄 미술사 박물관이 눈에 들어왔다.

채도 높은 빈의 아침

빈 미술사 박물관(Kunsthistorisches Museum)은 1891년 개관한 오스트리아에서 가장 큰 미술사 박물관으로 이곳이 음악의 수도뿐만 아니라 미술의 수도까지 넘본다는 것을 보여주는 공간이었다. 16세기 이후 합스부르크 왕조와 17세기 중반 레오폴트 빌헬름이 수집한 예술품을 기반으로 해서 수많은 작품이 전시되어 있었다. 이집트, 그리스, 로마, 중세, 르네상스, 바로크 시대의 작품들이 있으며 유명한 화가로는 루벤스, 뒤러, 벨라스케스, 틴토레토, 푸생, 카라바조, 렘브란트, 반 다이크, 안토니오 다 코레조, 주세페 아르침볼 및 내가 좋아하는 브뤼헐의 대표작 '바벨 탑', '농민의 춤', '눈 속의 사냥꾼', '아이들의 놀이', '사육제와 사순절의 싸움' 등이 있었다. 피테르 브뤼헐(Pieter Bruegel the Elder)은 네덜란드 화가로 서민과 농민들의 그림을 많이 그려 농민 브뤼헐이라는 별명이 있다. 안토니오 다 코레조의 작품들은 그리스 로마 신화에 등장하는 그림을 그려 유명한데, 레오나르도 다 빈치의 스푸마토 기법에서 영향을 받아 부드럽고 서정적인 분위기가 신화 작품에 걸맞았다. 아이는 주세페 아르침볼도의 과일 및 동식물을 이용해 그린 환상화를 좋아했다.

중앙 로비 역시 미술관

규모는 굉장히 크다고 들어서 루브르나 메트로폴리탄 급인가 싶었는데, 생각했던 것보다는 작아서 보는데 힘들지는 않을 것 같았다. 개인적인 기준으로 작품 인지도나 규모 면에서 루브르, 메트로폴리탄, 내셔널 갤러리, 프라도 미술관 다음이라고 생각했다. 그래도 건물 자체는 다른 박물관보다 아름다워서 궁전 같았고 중앙에 있는 카페 자체도 우아하고 멋졌으며, 건물 안에서 사진을 많이 찍었다. 박물관을 하려고 이런 멋진 건물을 지은 오스트리아 사람들의 감수성에 감동

222

했다. 중앙 로비에는 클림트가 그린 벽화가 있어서 흔한 벽면조차도 예술품인 곳이었다. 비수기라서 붐비지 않고 굉장히 여유롭게 작품 감상을 할 수 있었다.

요절한 스페인의 마르가리타 테레사 공주

프라도에서 감동을 주었던 벨라스케스의 '시녀들'에 등장한 마르가리타 공주의 성장하는 모습을 여기서 볼 수 있어서 감명 깊었다. 합스부르크 왕가의 영역이 이렇게 넓었다는 것을 또 한 번 실감한 순간이었다. 하지만 합스부르크 왕가는 알다시피 혼인 정책으로 영토가 넓어졌고, 자신들의 영역을 지키고자 근친혼을 한 나머지 각종 합병증이 많았다. 마르가리타 공주 역시 15살이 된 1666년에 외숙부 레오폴트 1세와 결혼했고 4명의 자녀를 낳았지만, 21살의 젊은 나이에 세상을 떠나고 말았다. 그녀의 자녀들도 일찍 세상 떠났다. 이 그림들은 마르가리타 공주의 성장을 사진처럼 후에 남편이 되는 레오폴트 1세에게 보내지기 위해 그린 것들이었다. 그래서 그가 보낸 선물들이 그림 속에 남겨 있다. 근친혼으로 인해 유전병이 생기고, 요절하는 왕족들이 참 많았는데, 화려해 보여도 속은 허물로 가득 찬 욕망 같아서 참 씁쓸했다.

작품 감상하는 모자

브뤼헐의 작품들

인상 깊었던 그리스도와 사마리아 여인

왕궁보다 더 화려한 박물관 내부

다만 한 가지 아쉬웠던 것은 시시를 볼 수 없었다는 것이었다. 정식 이름이 엘리자베트 아말리에 오이게니 폰 비텔스바흐(Elisabeth Amalie Eugenie von Wittelsbach)인 시시(Sisi)는 오스트리아 제국의 황후이자 헝가리 왕국의 왕비로서 1837년 12월 24일에 바이에른에서의 공작 막시밀리안 요제프와 바이에른의 공주 루도비카의 차녀로 태어났다. 친가와 외가 모두 비텔스바흐 가문 출신으로 바이에른 왕가에 속했지만, 엘리자베트는 어린 시절 시골에서 자유롭게 하고 싶은 대로 놀며 자랐다. 1854년 엘리자베트는 오스트리아 황제 프란츠 요제프 1세와 결혼했지만, 왕실 생활이 행복하지만은 않았다.

1889년, 엘리자베트의 아들인 루돌프 황태자가 연인 마리 베체라와 함께 자살하는 사건이 일어나서 충격을 주었다. 그리고 1898년 9월 10일, 60세의 엘리자베트는 스위스 제네바 호숫가에서 이탈리아의 무정부주의자 루이지 루케니에게 암살되었다.

박물관 기념품 가게에서 파는 시씨 굿즈

당대 최고의 미녀로 불릴 만큼 뛰어난 외모를 지녔으며, 자유분방한 성격과 낭만주의적 감성으로 인해 유럽 전역에서 큰 인기를 얻었던 그녀의 초상화를 보고 싶어서 안내 가이드에게 물어봤는데 그건 시시 박물관에만 있다고 해서 매우 아쉬웠다. 기념품 가게에서는 있지도 않은 시시 굿즈를 잔뜩 팔고 있어서 상술의 힘을 느꼈다. 아이는 이집트 전시실에서 본 하마 유물 모형을 하나 샀다. 그 하마 모형은 빈 미술사 박물관을 가기 전에 인터넷 동영상으로 아이가 공부했는데 당시 이집트에서는 하마가 농작물을 없애는 위험한 동물이라 파라오의 일 중에서 하마를 막는 것이 있어서 그와 관련해 만든 유물 모형이었다.

빈에는 클래식 음악가 하이든과 슈베르트 생가가 있어서 보러 갈까 생각했지만, 저녁 식사를 위해 우리는 들리지 않고 카페에 가서 하루를 일찍 마무리하고자 했다. 프란츠 요제프 하이든(Franz Joseph Haydn)은 오스트리아 태생으로 교향곡의 아버지라고 불리는데 이는 106곡의 교향곡을 만든 인물이자 제1악장에서 소나타 형식을 완성시킨 인물로서 클래식 음악에서는 빼놓을 수 없는 음악가이기 때문이었다. 음악 외에 특이한 일화가 있는데 사망한 이후 그의 무덤이 파헤쳐져 하이든의 머리가 도굴된 사건이었다. 그의 천재성을 알고 싶어 뇌를 연구하고 싶던 어떤 귀족이 그의 무덤을 파헤쳐 가져간 것이었다. 이리저리 옮겨가서 찾는데 어려움을 겪었지만 무려 145년이 지난 1954년 6월에 하이든의 머리는 유럽을 떠돌다가 오스트리아로 돌아오게 되었다. 프란츠 페터 슈베르트(Franz Peter Schubert)는 낭만주의 시대를 대표하는 작곡가로서 특히 가곡의 왕으로 유명했다. 오스트리아 빈에서 태어났으며 11살 때부터 작곡을 시작했다. 1812년에는 살리에리에게 작곡을 배웠다. 일생 동안 약 600곡의 가곡을 작곡했는데, 그의 가곡은 아름다운 선율과 섬세한 감성으로 많은 사랑을 받고 있다. 대표적인 가곡으로는 '마왕', '들장미', '송어', '겨울 나그네' 등이 있는데 31세라는 젊은 나이에 요절해서 안타까운 작곡가였다.

미술사 박물관과 자연사 박물관 사이에 있는 마리아 테레지아 광장 (Maria-Theresien-Platz)은 1888년에 완공되었으며, 합스부르크 왕 가의 여제 마리아 테레지아를 기념하기 위해 조성되었다. 광장은 링 슈트라세(Ringstraße)와 옛 황실 마구간에 위치한 현대 미술 박물관 을 연결하는데, 광장의 중앙에는 마리아 테레지아의 청동 기마상이 있었다.

미술사와 자연사 박물관 사이에 있는 광장

거리로 나와서 트램이 지나가는 도로 옆을 쭉 걷는데 먼저 보이는 거대한 오스트리아 의회의사당(Parlament Österreich)은 1874년부터 1883년에 그리스 부흥 양식으로 지어졌다. 링슈트라세(Ringstraße) 에 위치해 있으며, 건물의 중앙에는 지혜의 여신 아테나와 승리의 여신 니케의 동상이 있다. 부르크 극장을 마주 보고 있는 라트하우 스 광장(Rathausplatz)은 1873년에 완공되었으며, 빈의 대표적인 광 장 중 하나였다. 중앙에는 빈 시청(Rathaus)이 있으며, 높이 98m,

넓이 100m의 거대한 규모인 이 시청은 1872년부터 1883년 사이에 신고딕 양식으로 지어졌다. 아이스링크장이 설치되고 뭔가 공사 중인지 안으로 들어가 보지는 못했다.

의회의사당과 라트하우스 광장

우리의 빈에서 마지막 외부 행사는 카페 란트만 방문이었다. 카페 란트만(Café Landtmann)은 오스트리아 비엔나에 위치한 1873년에 설립된 유명한 카페였다. 입장하자마자 외투를 맡기는 것이 원칙이어서 외투 보관하는 곳에 가서 종업원이 외투를 받아주었다. 이런 카페는 처음이어서 왠지 슈트를 입고 왔어야 했나 싶었다. 카페 내부는 화려한 금빛 장식과 웅장한 샹들리에로 장식되어 있어, 고급스러운 분위기를 자아냈다. 이곳은 유명 인사들이 자주 찾는 곳으로도 유명했는데 아인슈타인, 프로이트, 힐러리 클린턴, 로널드 레이건 등 세계적인 인사들이 이곳을 방문한 것으로 알려져 있었다.

안쪽으로 안내된 우리는 오스트리아에서 즐길 수 있는 멜란지(Wiener Melange), 하펠커피(Haferlkaffee), 구겔호프(Guglhupf), 모차르트 쇼콜라테(Mozart Schokolade)를 주문하고 고즈넉한 분위기를 즐겼다. 전에 갔던 카페 자허와 카페 첸트랄과는 다르게 한국인이 없어서 우리나라에는 덜 알려진 카페 명소 같았다. 격식 있게 즐기는 현지인 카페로는 여기가 더 느낌 있었다.

카페 란트만 내부

멜란지는 오스트리아의 대표적인 커피 음료로, 에스프레소와 우유, 우유 거품을 섞어 만든 커피였다. 에스프레소의 진한 맛과 우유의 부드러운 맛이 조화를 이루는 것이 특징으로 그 역사는 1830년대까지 올라가는데, 그 당시 빈은 유럽의 문화 중심지로서 다양한 문화가 교류하는 곳이었다. 멜란지는 이러한 문화적 교류의 산물로, 에스프레소와 우유라는 두 가지 요소가 결합 된 커피였다. 하펠커피는 오스트리아의 전통 커피로써 에스프레소에 뜨거운 우유를 부어 만든 커피인데, 일반적으로 하펠커피는 에스프레소와 우유를 1:1 비율로 사용하지만, 취향에 따라 우유의 양을 조절할 수 있다. 하펠커피는 19세기 중반에 빈에서 처음 만들어졌다.

구겔호프(Gugelhupf)는 독일, 오스트리아, 프랑스, 헝가리 등 중부 유럽에서 즐겨 먹는 케이크로써 둥근 모양의 케이크 틀에 구워내며, 겉면에는 슈가파우더나 코코아가루를 뿌려냈다. 그 기원은 17세기 스위스로 거슬러 올라가는데, 당시 스위스에서는 빵을 발효시켜 구운 케이크가 인기 있었다. 그게 원조로 18세기 말 버터가 보급되면서 본격적으로 만들어지기 시작했다. 버터의 풍미가 더해진 구겔호프는 더욱 인기를 얻었고, 유럽 전역으로 전파되었다. 이 카페에서 자랑하는 디저트여서 우리도 맛보았다.

오스트리아 커피 감성

카페에서 해 질 때까지 있다가 어둑해진 거리를 따라서 빈의 마지막 밤을 보낼 숙소로 돌아왔다. 거리에 켜진 가로등마저 운치있었던 빈의 거리였다. 오는 길에 마트에 들러서 아내와 아이가 원하는 갈릭 쉬림프를 하기 위해 냉동 새우 2팩과 마늘은 샀다. 숙소에 와서 이번 여행 마지막 요리인 소고기 등심과 안심 스테이크, 갈릭 쉬림프, 양송이버섯과 돼지고기 구이를 했다. 레드 와인과 사과 사이다를 곁들이며 만찬을 즐겼다. 아이는 여행이 끝나가는 것에 대해 굉장히 아쉬워했고 그런 표현을 많이 했다. 식사 후에는 디저트로 독일에서 사 와서 먹지 않았던 애플망고, 아이스크림, 마너 웨하스, 자허 토르테로 아쉬움을 달랬다.

빈의 여기

우리가 걷고, 바라본 곳

벨베데레 궁(Schloss Belvedere) 상궁(Upper Belvedere)

벨베데레 궁전(Schloss Belvedere) 하궁(Lower Belvedere)

카를 성당(Karlskirche)

빈 국립 오페라극장(Wiener Staatsoper)

카페 자허(Café Sacher)

황실 묘지(Kaisergruft)

모차르트 데스 하우스(Mozart-Sterbehaus)

앙커우어 인형 시계(Ankeruhr)

슈테판 대성당(Stephansdom)

미노리텐 교회(Wiener Minoritenkirche)

카페 첸트랄(Café Central)

아일랜드 베네딕트 수도사의 성당(Schottenkirche)

베토벤 기념관(Wien Museum Beethoven Pasqualatihaus)

헨델 광장(Heldenplatz)

호프부르크 왕궁(Hofburg)

빈 미술사 박물관(Kunsthistorisches Museum)

카페 란트만(Café Landtmann)

Hungarian Rhapsody

2024년 1월 19일(금)(16일째)-빈에서 부다페스트

몸이 무거웠지만 알람 소리에 일어나 캐리어에 짐을 꾹꾹 눌러 담았다. 아침에 헝가리 부다페스트로 이동하는 기차를 타야 해서 부지런히 정리하고 나와야 했다. 이번 여행에서 가장 오랜 기간 머물렀던 빈 숙소의 문을 닫고 나오니 아쉬움 가득 남겨두고 나온 듯했다. 아내가 숙소 맞은편에 있는 작은 베이커리에서 빵과 커피를 사자고 해서 사서 빈 중앙역으로 걸어갔다. 즐거운 여행 되라는 카페 주인에게 오늘 빈을 떠난다고 하면서 아쉬움을 전했다. 9번 플랫폼으로 가서 기다리니 9시 40분 출발하는 부다페스트행 열차가 들어왔다. 한 시간쯤 가니 국경에 도착했고 검표원이 헝가리 사람으로 바뀌어 다시 표 검사를 하는데 이번 여행 처음으로 여권 확인까지 받았다. 대개 표만 확인하고 넘어갔기에 조금 낯설었다. 평원을 가로지르는 철로를 다시 한 시간쯤 달려서 우리 여행의 마지막 도시, 헝가리 부다페스트 켈레티(Budapest-Keleti)역에 도착했다. 오는 길에 눈이 내리길래 날씨를 확인했더니 일단 오후에는 그친다고는 나와 있는데, 눈 내리는 부다페스트도 운치 있어 보였다.

부다페스트(Budapest)는 헝가리 수도이자 정치, 경제, 문화의 중심지로서 국가보다 수도가 유명한 경우였다. 다뉴브강이 가로지르는 것으로 유명하고, 야경 또한 아름답기로 손꼽히는 곳이었다. 부다페스트는 부다와 페스트라는 두 도시가 합쳐진 것인데 부다는 지배층이 거주했고, 페스트는 서민층이 거주한 곳이라고 했다. 로마 시대부터 사람들이 많이 살았는데 900년경 마자르족이 침공해 헝가리 왕국을 세웠다. 나중에 13세기 중반 몽골 제국 바투의 침공을 받았고, 1541년에는 오스만 제국에 정복되었다. 이후 1686년 오스트리아에 점령되어 오스트리아-헝가리 제국까지 이어지다가 1873년 부다와 페스트가 통합되어 현재의 부다페스트가 탄생했다. 제1차 세계 대전으로 오스트리아가 패망하자 헝가리 왕국은 독립하게 되었고 제2차 세계 대전 당시에는 부다페스트 공방전으로 도시가 파괴되고, 유대인들도 많은 학살을 당했다. 현재 인구는 180만 명 정도로 유럽에서는 꽤 큰 대도시를 형성하고 있다.

빈에서 부다페스트

이곳을 가로지르는 다뉴브강은 야경으로 인해 우리에게 많이 유명해졌는데 다뉴브(Danube)는 영어로 독일어로는 도나우(Donau)라고 불렀다. 우리가 빈, 브라티슬라바에서 마주쳤던 강이 여기에도 걸쳐 있었다. 독일 남쪽으로 발원해서 루마니아 동쪽을 가로질러 흑해로 흘러가는 이 강은 길이 2,860km로서 유럽에서 두 번째로 긴 강이었다. 영어권 국가를 지나가지 않지만, 워낙 많은 나라를 지나가서 편의상 다뉴브라는 명칭을 많이 썼다. 헝가리에서는 두너(Duna)강으로 불렀다.

페스트 지역에 있는 켈레티역에서 택시를 타고 부다 지역에 있는 호텔로 가려 했지만 보이지 않아서 지하철을 타고 가기로 했다. 부다페스트의 지하철은 런던, 이스탄불 다음 세계에서 세 번째로 개통된 지하철로서 1896년 5월 2일 헝가리 왕국의 수도인 부다페스트의 100주년을 기념하여 개통되었다. 당시 오스트리아-헝가리 제국 시절에 만들어졌는데 특이한 점은 유럽 대륙 최초의 지하철이라는 점이었다. 그때 만들어진 1호선은 총연장 4.4km, 11개 역으로 이루어져 있으며 현재 유네스코 세계문화유산이었다. 우리가 탄 것은 1970년 옛 소련 시절에 만든 2호선이었다. 그래서 그런지 땅속 깊숙이 들어가는 게 이색적이었다. 개찰구도 뭔가 가로막는 게 없어서 특이하고 재미있는 경험이었다. 이때 들어가기 전에 티켓 펀칭을 해야 했다. 우리는 땅 밑으로 부다페스트 도심을 가로질러서 부다 지역에 있는 호텔에 도착했다.

재미있는 지하철역

호텔은 부다페스트 하면 떠오르는 국회의사당 야경을 바로 볼 수 있는 최적의 위치해 있어서 풍경 맛집이라고 해도 과언이 아니었다. 아직은 우리에게 다뉴브강의 경치를 보여줄 생각이 없는지 함박눈처럼 눈이 계속 내려 확인해 보니 2시까지는 이렇게 내리는 듯해서 일단 짐을 맡기고 며칠째 먹었던 빵 대신에 쌀을 먹고 싶어 한 아내의 뜻에 따라 근처 터키 음식점에 와서 간단히 점심 식사를 했다. 식사 후 바로 근처에 있는 실내 시장의 2층 카페에 와서 커피 한 잔 하며 눈이 그친 후 멋진 풍경을 선사해 줄 시간을 기다렸다. 창문 밖을 바라보며 한 시간 정도 있다가 다시 호텔로 돌아가 체크인을 하고 오늘 둘러볼 부다 지역 탐방을 시작했다.

헝가리 여행 시작

호텔을 나와 지도를 따라서 조금 올라가니 여행의 시작점인 비엔나 게이트가 나왔다. 비엔나 게이트(Bécsi kapu)는 부다 언덕의 북쪽 입구에 위치하고 있으면서 부다와 페스트를 연결하는 주요 도로인 헝가리 대로의 시작점이었다. 우리도 여기서 우리의 부다페스트 여행을 시작하기로 했다. 이곳은 원래 13세기에 지어졌지만, 16세기에 오스만 제국에 의해 파괴되었다. 그러다가 1936년에 헝가리의 수도가 부다페스트로 복원된 지 250주년을 기념하여 비엔나 게이트가 재건되었다. 게이트의 정면에는 성모 마리아의 조각상이 있고, 양쪽에는 헝가리의 국기와 성 게오르기우스의 조각상이 있다.

이곳을 지나 시내를 바라보기 위해 어부의 요새 쪽으로 길을 걸었다. 멀지 않아서 금방 도착했다. 이미 야경을 보기 위해 일찍부터 사람들이 삼삼오오 모여 있었다. 어부의 요새(Halászbástya)는 1899년에서 1905년에 지어진 네오로마네스크와 네오고딕 양식이 절충된 건물로서 19세기 시민군이 왕궁을 지키고 있을 때 이 부근에 많이 살았던 다뉴브강의 어부들이 강을 건너 기습하는 적을 막기 위해 이 요새를 방어한 것에서 이름의 유래가 있다. 7개의 탑은 헝가리 건국 당시 마자르 7 부족을 상징했다. 어부의 요새에서 바라본 부다페스트의 전경이 평화롭고 아름다웠다. 유유히 흐르는 다뉴브강의 폭은 다른 유럽의 대도시를 흐르는 강들보다 넓어서 진짜 강이라는 생각이 들 정도였다.

어부의 요새에 있는 마차시 성당(Mátyás templom)의 정식 이름은 성모 마리아 대성당으로 성당 남쪽 탑에 마차시 1세의 문장과 그의 머리카락이 보관되어 있어서 이렇게 불렸다. 1269년 벨러 4세에 의해 지어졌고 15세기 마치시 1세에 의해 첨탑이 증축되었다. 오스만 제국이 헝가리를 지배했을 때는 모스크로 역할을 하기도 했다. 여기서 기도를 하던 이슬람교도의 앞에 성모 마리아가 나타나서 전의를 상실했고, 이로 인해 오스만 제국의 부다 점령이 끝났다는 이야기는 유명한 이 성당에 명성을 더했다. 역대 국왕의 결혼식과 대관식이 열린 장소로서 오스만 제국으로부터 해방 이후 바로크 양식으로 재건되었다가 후에 고딕 양식으로 다시 개축되었다. 역사적 내용보다는 지붕 건축 재료가 나의 흥미를 끌어서 찾아보니, 지붕 재료가 헝가리에서 유명한 졸너이(Zsolnay) 타일이라서 화려한 색감을 뽐내는데 부다페스트에 있는 성당들은 이런 타일로 마감을 한 성당이 많았다. 아직도 졸너이 기업은 도자기, 타일 등을 제조하면서 명성을 떨치고 있었다.

다뉴브강을 배경으로 아내와 아이

우리는 내려가서 부다성 쪽으로 갔다. 가는 길에 보이는 세체니 다리(Széchenyi Lánchíd)는 다른 도시였던 부다와 페스트를 연결하는 최초의 다리로 상징성이 있는 다리였다. 세체니 이슈트반 백작이 생각해서 만들어진 다리로 영국인 윌리엄 클라크와 애덤 클라크가 설계했다. 1945년 독일에 의해 폭파되었다가 1949년에 다시 개통되었다. 세체니 이슈트반은 헝가리의 자유주의 정치가로 1848년 초대 헝가리 내각의 교통장관이었으며, 합스부르크 왕가의 통치를 비판하는 글을 출판한 인물이었다.

여기가 바로 부다페스트

부다성(Budai Vár)은 과거 왕궁이라 불렀던 곳으로 푸니쿨라 옆 세체니 다리와 이어져 있으며 세계문화유산이기도 했다. 1242년 벨러 4세가 몽골의 침략에서 피신하여 이곳에 요새를 건설하였고, 14세기

들어서 라요슈 1세가 고딕 양식 왕궁으로 증축했다. 그 후 번영하다
가 16세기 오스만 제국의 공격으로 파괴되어 후에 합스부르크 왕조
의 지배를 받으며 바로크 양식으로 지었다. 18세기에는 마리아 테레
지아의 명으로 203개의 방을 갖춘 거대한 궁이 되었다가 19세기 후
반에 화재로 인해 소실되었다가 1904년에 다시 지었지만, 두 번의
세계 대전으로 파괴되고, 1956년 헝가리 혁명 당시 소련에 의해 파
괴되었다가 1980년에 재건한 것으로 오랜 역사의 중심지였던 만큼
다사다난했던 주름이 있는 성이었다.

어부의 요새에서 바라본 야경

다시 우리는 어부의 요새까지 온 다음 전 세계에서 모인 여행객들과
도나우강을 품은 부다페스트의 야경을 마음껏 바라보았다. 내려와서
마트에 들러 헝가리 특산품인 토카이 와인을 7병이나 샀다. 토카이
와인(Tokaji Aszú)은 헝가리 토카이 지방에서 생산되는 화이트 와인

으로서 1650년 세계 최초로 귀부 포도에서 와인을 양조한 것으로 알려져 있으며, 1737년에는 공적인 등급제를 실시하여, 이 지방의 뛰어난 와인을 생산할 수 있는 밭에 제1급부터 제3급까지 등급을 매기고 있다. 1703년에는 프랑스 루이 14세에게 선물로 보내지며, '와인의 왕'이라는 찬사를 받기도 했다. 흔히 토카이 와인으로 아는 귀부 와인, 아쑤(Aszú)라는 용어는 잔류 당분 120g/L 이상(푸토뇨쉬 5)일 때만 쓸 수 있어서 토카이 와인이라고 적혀 있어서 다 같은 것이 아니었다. 그래서 구매할 때 가격도 천차만별이기 때문에 잘 골라야 했다. 푸토뇨쉬 5도 상당히 달콤한데 6은 더 달고, 진액이라 할 수 있는 에센시아(Eszencia)는 잔류당분 450g/L 이상으로 꿀 같은 거라고 볼 수 있었다.

포도는 주로 푸르민트(Furmint) 품종으로 양조되며 이는 산도가 높고 향이 풍부한 품종으로 토카이 와인 특유의 드라이한 맛과 복합적인 향을 만들어냈다. 그 외에도 하르스레벨루(Harslevelu), 사싸르(Szamorodni) 등의 품종도 사용되기도 했다. 흔히 귀부 포도라고 많이 말하는데 귀부화란 포도가 곰팡이에 감염되어 당도가 높아지고 향이 풍부해지는 현상을 말했다. 토카이 지방은 헝가리 북동부에 위치한 헝가리 알프스 산맥 기슭에 위치하고 있으며, 기후 조건이 귀부화에 적합하여 세계에서 가장 유명한 귀부 포도 재배 지역 중 하나로 손꼽혔다. 헝가리 정부는 토카이 와인의 품질을 보호하기 위해 1993년 유럽연합(EU)으로부터 지리적 표시 보호(Protected Designation of Origin, PDO)를 획득했다. 처음에는 단순히 토카이 와인이라는 품종이 있고, 하나만 있는 줄 알았는데 세세하게 나뉘어 있어서 공부를 벼락치기로 하고서 구입을 했다.

많은 종류의 토카이 와인

저녁 식사는 호텔 추천으로 간 헝가리 전통 음식 레스토랑인데 호텔 근처에 위치해 마트에서 산 것들을 객실에 두고 금방 갈 수 있었다. 유명한 고급 식당인데 손님은 우리뿐이어서 조금 당황스러웠지만 메뉴를 보고 오리 요리가 주력인 듯해서 일단 크리스피 오리 다리 구이, 헝가리안 굴라쉬, 오리 가슴살 펜네 파스타, 로제와 화이트 하우스 와인, 파인애플 주스를 주문했다. 손님 없는 것보다 더 당황한 건 우리가 주문한 헝가리안 굴라쉬가 율무 같은 곡물에 굴라쉬를 비벼 놓은 것이라서 수프를 생각한 우리 생각과 너무 달랐다는 것이었다.

주문 전에 종업원에게 메뉴에 있는 수프와 헝가리안 굴라쉬의 차이점을 물어봤는데 단순히 수프와 메인 식사라고만 설명해 줘서 잘 몰랐던 우리는 사람이 세 명이라 메인 식사로 주문했다. 우린 메인 식사가 수프와 빵이나 샐러드 같은 게 함께 나오는 건 줄 알았기 때문이었다. 조리 방식이 다르거나 어떤 식으로 나오는지 종업원이 설명해 줬으면 좋았겠지만, 그런 게 없이 주문을 해서 굉장히 아쉬웠다. 우리가 이렇게 나오는 거냐고 수프에 대해서 물어보니 수프를 추가 주문할 거냐고 물어봐서 기분이 살짝 언짢았다. 어쨌든 이런 음식도 있구나 하는 생각이 들었다. 요리는 전통 음식이라는 점에서 점수는 높지만 요리 맛으로 볼 땐 평균 정도였다. 잠시 두 테이블이 더 차서 우리까지 세 테이블이 되었고, 저녁 7시부터는 바이올린과 피아노 공연이 있어서 입보다는 귀가 즐거웠던 식사였다. 그 외에 아쉬웠던 점은 그렇게 메뉴 설명을 해 놓고서는 원래 비싼 가격에 팁이 15%나 영수증에 강제 포함되어 있었으며, 카드 결제가 안되고 현금 결제만 이야기해서 결국 현금 결제를 하게 만들었다. 맛도 맛이지만 세련되지 못한 종업원의 말투나 서비스 응대가 별로였기 때문에 헝가리의 이미지에 먹구름이 끼기 시작했다.

먹구름이 잔뜩 낀 헝가리 첫 저녁 식사

나와서는 다시 마트에 들러서 내일 먹을 간단한 아침 식사할 것을 사서 호텔로 들어왔다. 그리고 아까 저녁 식사의 아쉬운 점을 달래 줄 일본 컵라면을 까서 호호 불어 먹으며 내일 온천 준비를 했다. 솔직히 컵라면도 맛없어서 먹구름에서 비가 내릴 지경이었다. 유일한 위안은 객실 창밖으로 국회의사당이 반짝이고 있는 야경을 보며 하루를 마무리한다는 것이었다.

호텔 들어가기 전

다뉴브의 발걸음

2024년 1월 20일(토)(17일째)-부다페스트

새벽이 지나가는 부다페스트

아침 식사는 간단히 하고 온천 갈 준비를 한 다음 호텔에서 나온 우리는 도나우강을 쭉 따라가는 트램을 타고 겔레르트 온천으로 향했다. 다뉴브강변을 쭉 따라서 가는 트램에서 본 부다페스트의 아침은 푸른색을 띠었으며 평온해 보였다. 가는 길에 보인 치타델라(Citadella)는 겔레르트 언덕 정상에 위치한 요새로 치타델라의 뜻이 성채라는 뜻을 가지고 있다. 헝가리 강제 노역자들을 데리고 오스트리아가 지어서 1854년에 완성했다. 우리가 갈 겔레르트 온천 가는 길에 루다스 온천(Rudas Gyógyfürdő és Uszoda)도 보였다. 약효가 있다고 알려진 이 온천은 오스만 통치 기간인 1572년에 설립되었다. 부다 언덕에 위치하고 있으며, 겔레르트 언덕과 다뉴브강을 내려다 볼 수 있는 아름다운 전망을 자랑했다. 온천의 내부는 오스만 건축양식으로 지어져 있으며, 돔 천장과 아치형 창문으로 이루어져 있다.

푸른 다뉴브 앞에서

푸른 하늘 물결 아래 도착한 겔레르트 온천(Gellért Gyógyfürdő és Uszoda)은 1918년에 개장되어 100년이 넘는 역사를 가지고 있었다. 치료 효과가 뛰어난 것으로 알려져 있으며, 아르누보 양식의 고급스러운 분위기로 인해 과거에는 유럽 왕족들이 방문하기도 했다. 또한, 아름다운 건물로 인해 할리우드 영화의 배경으로도 사용되었으며 겔레르트 호텔에 위치해 있기 때문에 수질이 다른 온천들보다 깨끗하다고 알려져 있다. 평범한 외관과는 다르게 내부로 들어왔을 때에는 로마 제국 시대 온천장이 실제로 있다면 이런 느낌이 아닐까 하는 고풍스러움이 느껴졌다.

입구에 들어섰을 때 고풍스러운 내부의 모습에 일단 감탄했지만, 다소 오래된 듯한 느낌으로 세월이 보였다. 무엇보다 놀란 것은 옷을 환복 하는 락커룸으로 갔는데 남녀 혼용이어서 처음에 당황스러웠다. 같이 쓰는데 옷 갈아입는 칸막이는 따로 있어서 탈의실처럼 있기는 하지만, 이 같은 공간에서 환복 하는 시스템은 처음이라 아시아 사람들은 당황할 듯했다. 이렇게 해도 아무 문제가 일어나지 않으니 하는 것이겠지만 독특하긴 했다. 수영복으로 차려입은 우리는 먼저 노천탕으로 갔다. 시원한 공기로 호흡하며 뜨끈한 온천에 몸을 담그니 여행의 노고가 풀리는 것 같았다. 아이는 물개처럼 엄청 좋아했다. 아침에 조금 피곤해하던 아이였는데 오늘은 무척 쌩쌩했다. 실내로 들어가서는 실내 수영장에서 놀고, 36도와 40도 탕에 들어가서 몸을 녹였다. 우리나라 온천처럼 땀을 쫙 빼는 건 아니어서 순한 맛으로 즐긴 것 같았다.

겔레르트 온천 내부

환상 속의 수영장

점심시간이 되자 온천에서 나와서 개운한 몸으로 일정을 시작했다. 먼저 겔레르트 온천 길 건너에 있는 겔레르트 언덕 동굴 성당 (Gellérthegyi Barlang)으로 갔는데 언덕의 화강암 지대에 위치하고 있었다. 동굴의 길이는 약 1,200m에 달하며, 동굴 안에는 성모 마리아와 성 이슈트반 왕의 동상이 있다. 내려와서는 고풍스러운 철제 다리인 초록 다리로 다뉴브강을 건넜다. 자유의 초록 다리(Szabadság híd)는 1896년에 세워졌는데 당시 프란츠 요제프 1세 황제의 이름을 따서 다리 이름을 불렀다가 제2차 세계 대전으로 파괴되고 재건된 후 자유의 다리로 이름을 바꾸었다. 길이 334m로 부다페스트에서 가장 짧은 다리였다.

생각보다 긴 다뉴브강이 잔잔하게 흘러가는 모습을 바라보고 있으니 이곳을 지나갔을 수많은 옛사람의 모습이 상상되었다. 페스트 지역으로 넘어와서 우리가 점심 식사할 곳은 그레이트 마켓 홀이라는 실내 시장이었다. 그레이트 마켓 홀(Nagy Vásárcsarnok)은 1897년에 지어졌으며, 이름에 걸맞게 굉장히 규모가 큰 시장이었다. 시장은 지하 1층과 지상 2층으로 이루어져 있으며, 지하 1층에는 정육점, 수산 시장, 채소 시장 등이 있고, 지상 1층에는 과일, 꽃, 기념품 등이 판매되고 있었다. 2층은 종류별로 다양한 스트리트 푸드가 있는데 이미 많은 사람으로 붐비고 있어서 시장 식당 안으로 들어가서 먹었다. 굴라쉬 수프와 닭다리 구이 등을 시켰는데 가격이 생각보다 비싸서 놀랐다. 시장이지만 관광 명소여서 그런 것 같았다. 맛은 우리가 알던 야채 참치 통조림을 넣어 끓인 김치찌개였다. 그냥 참치캔이 아니고 야채 참치캔으로 넣어 끓인 것 같은 건더기와 비주얼이라서 꼭 그 생각이 났다. 식사 후에 잠깐 구경하는데 아내가 아까 먹은 굴라쉬 때문인지 배가 아프다고 했다.

야채 참치 김치찌개

시장에서 나와서 우리는 트램을 타고 다시 호텔로 돌아와서 재정비를 하고 밖으로 나갔다. 국회의사당을 바라보며 다뉴브강변을 쭉 따라서 세체니 다리를 건너 페스트 지역으로 다시 갔다. 우리를 여기가 부다페스트라는 것을 일깨워 주는 국회의사당(Országház)은 코슈트 러요시 광장에 위치하며 세계에서 두 번째로 규모가 큰 국회의사당으로 오스트리아-헝가리 이중제국 시절에 네오고딕 양식으로 지어졌는데 당시 제국의 위상을 알 수 있었다. 1896년에 국회가 열렸고 건물 완성은 1902년에 이루어졌다. 건물 길이는 268m이며 첨탑 높이는 96m에 달했다. 이는 마자르 민족이 유럽에 정착한 896년을 기념하기 위한 것이었다. 10만 명 정도의 노동자가 건설 현장에 동원되었고, 4천만 개의 벽돌, 50만 개의 보석, 40kg의 순금이 짓는데 들어갔다.

세체니 다리 건너기

우리를 비롯한 수많은 여행객과 부다페스트 사람들이 지나는 세체니 다리(Széchenyi Lánchíd)를 건너서 강변을 따라 쭉 걸었더니 다뉴브 강가의 신발들(Cipők a Duna-parton)이 보였다. 이 기념물은 2005년 4월 16일, 제2차 세계 대전 중 나치에 의해 학살당한 유대인들을 추모하기 위해 세워졌다. 기념물은 다뉴브강변에 있는 60컬레의 실제 크기의 신발로 이루어져 있다. 신발은 다양한 스타일과 크기로 되어 있으며, 남자, 여자, 아이 신발이 모두 있었다. 신발은 강변에 고정되어 있으며, 물이 흐르는 것을 바라보고 있다. 기념비는 제2차 세계 대전 당시 나치의 만행을 기억하고, 인종 차별과 폭력에 반대하는 메시지를 전달하고 있다. 아이 신발을 볼 땐 무언가 마음이 더 무거워졌다.

우리는 페스트 지역 안으로 들어갔는데 부다 지역과는 다르게 평지가 많아서 걷기 편했다. 가는 길에 본 경찰 동상은 풍채 있는 아저씨였고, 도착한 엘리자베트 광장(Erzsébet Tér)의 이름은 우리가 아는 시시, 헝가리의 엘리자베트 왕비의 이름을 따서 지어졌다. 광장에 있는 분수보다 눈길을 끈 것은 거대한 대관람차였는데 도는 속도가 빨라서 타고 있는 사람이 무섭지 않을까 하는 생각이 들었다. 곧이어 조금 더 걸으니 거대한 성 이슈트반 대성당이 눈에 들어왔다. 성 이슈트반 대성당(Szent István Bazilika)은 가톨릭을 헝가리에 전파한 업적으로 성인 추대된 성 이슈트반 1세를 기리기 위해 세운 성당으로 50년에 걸쳐 완공되었다. 내부 기둥의 두께가 상당한데 그것은 기둥이 지탱하는 아치가 많아서 그랬다. 성당의 탑은 96m로서 국회의사당과 같으며 이는 헝가리 건국의 해인 896년의 96 숫자를 의미했다. 성당 안에는 그의 오른손이 유리관 안에 보존되어 있다. 가는 길에 보인 도하니 거리 교회(Dohány utcai Zsinagóga) 또는 부다페스트 대교당은 부다페스트에 있는 유명한 시나고그로서 유럽에서 큰 시나고그 중 하나였다. 1850년대 후반에 건설되어 1859년에 완공되었다. 이슬람 건축 양식인 무어 양식으로 지어졌으나 다른 양식도 혼재되어 있다. 아름다운 붉은 벽돌 외관과 두 개의 둥근 돔을 특징으로 했다. 제2차 세계 대전에는 나치에 의해 많은 유대인이 학살당했을 때 교회는 피난처로 사용되었다. 여기까지 열심히 걸은 아이가 다소 지쳐서 이제 10분만 더 걸으면 되니 힘내자고 하면서 걸었다.

페스트 지역 걷기

투덜대지만 잘 따라오는 아이와 함께 드디어 부다페스트 명물 카페인 뉴욕 카페(New York Café)에 도착했다. 이 카페는 1894년에 개장했으며, 세계에서 손꼽히는 아름다운 카페로 알려져 있다. 웅장한 네오바로크 양식으로 지어졌으며, 화려한 프레스코화, 샹들리에, 대리석 기둥 등이 인상적이었다. 궁전 같은 내부는 2개 층으로 이루어져 있으며, 1층은 카페, 2층은 레스토랑으로 사용되었다. 특히, 커피는 헝가리산 원두를 사용해 직접 볶아 만든 것으로 유명했다. 다닥다닥 테이블이 붙어 있는 카페인데도 불구하고 사람들로 북적이고 만석이어서 우리도 5분 정도 기다렸다가 입장할 수 있었다. 여러 나라의 여러 카페를 가봤지만, 화려한 것으로 치면 1등이라고 할 수 있었다.

궁전 같은 카페

저녁 식사로는 헝가리 음식이 입에 생각보다 안 맞아서 이탈리아 식당으로 갔다. 헝가리 음식 자체라기보다는 어젯밤에 간 헝가리 레스토랑의 서비스가 상당히 별로여서 거기에 대한 반감이 있기도 했다. 마르게리타, 디아볼라, 마리나라 피자와 펩시 콜라, 슈웹스 오렌지를 주문했다. 맛은 나폴리에서 먹었던 것보다 도우가 더 건조한 느낌에 과하게 쫄깃하다는 것만 빼면 훌륭했다. 종업원 말투가 어제 레스토랑 종업원과 비슷해서 이 도시는 그런 건가 싶었다. 뭔가 무미한 말투 같은 느낌이었다. 팁도 12%가 강제로 들어가 있어서 여기 문화인 듯했다. 이런 점들이 그전에 갔던 독일, 오스트리아, 체코, 슬로바키아와 비교되게 했다. 우리의 마지막 여행 종착점인데 어제, 오늘 계속 아쉬움이 찌꺼기처럼 남게 된 것 같았다. 지하철을 타고 부다 지역으로 넘어와서는 마트에 들렀다가 호텔로 돌아와서 나와 아내는 토카이 아쑤(Tokaji Aszú) 와인을 개봉해서 객실 창밖에 그려진 국회의사당 야경을 바라보며 달콤함을 혀끝으로 느끼고 마음에 담았다. 처음 마셔보는데 한 모금씩 목으로 넘길 때마다 달콤함이 터져나와서 이 순간만큼은 이곳을 사랑할 수 있었다.

저녁 식사는 이탈리아

여행의 끝을 잡고

2024년 1월 21일(일)(18일째)-부다페스트

일요일이라서 미사 참례를 하기 위해 호텔에서 가장 가까운 성당으로 갔다. 우리가 간 부다페스트 성 프란치스코의 낙인찍힌 교회는 동유럽에서 많이 보이던 바로크 양식의 교회 중 하나였다. 교회는 1731년에 착공하여 1757년에 봉헌되었다. 설계자는 한스 야캅으로, 부다페스트의 성 안나 교회 및 중앙구 교회의 건축가이기도 했다. 헝가리지만 주일 미사는 부다페스트 독일어 사용 가톨릭 교구에서 쓰고 있었기 때문에 독일어로 진행되었다. 어차피 우리 모두 독일어를 모르니 상관없었는데 라이프치히에서 불렀던 성가와 같은 성가가 나와서 반가웠다.

주일 미사의 공간

미사 후에 근처 브런치 카페에 가서 늦은 아침 식사를 했다. 코르타도, 룽고, 오렌지 주스와 시그니쳐 플래터, 프렌치토스트, 미국식 팬케이크를 주문해서 먹었다. 식사를 만드는 요리사가 한 명인지 나오는데 엄청 오래 걸렸다. 우리보다 먼저 온 다른 테이블도 늦게 음식을 받았다. 식사 가격이 생각보다 비싸서 놀랐다. 우리나라와 같은 수준이어서 물가에 대해 다시 한번 생각하게 된 식사였다. 식사 후 오늘이 헝가리 마지막 밤이어서 야경까지 보고 들어가자고 해서 호텔로 돌아와 옷을 더 따뜻하게 챙겨 입고 나왔다.

한 번 가서 익숙해진 어부의 요새까지 걸어가서 마치시 성당까지 보고 뒷길로 해서 부다성까지 걸어갔다. 지도 앱에서는 어부의 요새 옆길로 내려가서 시내까지 갔다가 다시 올라가는 길을 알려줘서 그제 저녁에는 그렇게 갔었는데 안 가본 뒷길로 무작정 걸어가니 금방 부다성이 나와서 힘들게 갔던 지난 일이 생각났다. 사람들이 오가는 데에는 다 이유가 있었다. 어쨌든 대통령 궁 뒤를 돌아서 부다성으로 가니 다뉴브강을 중심으로 시내가 보이는 게 마음이 시원해졌다.

앞이만 있어도 행복

부다성에서 치타델라 방향으로 걸어가는데 한국인 노부부가 서로 사진을 찍어주고 있어서 내가 먼저 같이 찍어드리겠다고 말을 걸었다. 사진을 찍고 몇 마디 나눴는데 우리와 같이 1월 4일 프랑크푸르트로 입국한 것이었다. 우리는 독일에서 체코, 오스트리아, 슬로바키아를 거쳐서 헝가리로 들어왔는데 노부부는 독일, 오스트리아, 슬로베니아, 크로아티아를 거쳐서 헝가리로 왔다고 했다. 모두 이곳이 마지막 여행지였다. 신기한 인연에 반갑고, 우리가 나이 들면 이렇게 되고 싶다는 생각을 했다.

빵 뚫린 부다페스트 하늘

부다페스트 첫 가족사진

부다성에서 내려오는 길을 몰랐는데 아이가 어떤 외국인들에게 물어봐서 길을 찾을 수 있었다. 내려오니 바르케르트 바자르(Várkert Bazár)가 나타났다. 우리는 부다에서 페스트로 넘어가려고 에르제베트 다리(Erzsébet híd)를 건너갔다. 1964년에 만든 현수교로 보행자로가 넓고 덜 유명해서인지 붐비지 않아서 걷기 편했다. 페스트 지역으로 넘어와서 아내가 찾은 카페는 헝가리 요리 전문으로 하는 고급 레스토랑 겸 카페였다. 우리가 방문한 곳은 19세기에 지어진 고풍스러운 아르누보 양식의 유리 천장이 멋진 파리의 통로 레스토랑(Párisi Passage Restaurant)이었다, 관광객이나 여행객들에게 덜 알려져서 그런지 어제 뉴욕 카페만큼 붐비지 않았다. 넓고 유리 천장이라 19세기의 발전적인 모습이 잘 드러나고 쾌적한 느낌에 이곳만의 분위기가 너무 좋아서, 테이블 사이가 좁고 너무 북적거린 뉴욕 카페보다는 개인적으로 더 좋았다.

부다에서 페스트로 가는 길

271

뉴욕 카페보다 더 좋았던 카페

카페를 한껏 즐기고 저녁 식사를 위해 아내가 찾아놓은 베트남 요리 식당으로 갔다. 카페 바로 근처여서 금방 갔는데 헝가리나 유럽 요리로 외식을 계속 한 우리에게 오아시스 같은 곳이었다. 정신줄을 놓은 우리는 쌀국수 큰 거랑 작은 거 각 1개, 고이꾸온 2개, 새우 볶음밥 1개, 새우 볶음면 1개, 베트남 커피 1잔은 주문했다. 우리가 생각해도 많기는 했지만, 베트남 고추와 마늘 절임, 간장 소스를 넣어서 먹으니 헝가리 음식이 쭉 내려가는 듯했다. 호치민이 아니고 하노이 스타일이어서 아내는 조금 낯설어했는데 그래도 맛있게 먹었다. 베트남인 종업원도 정말 친절해서 기분 좋은 식사를 할 수 있었다.

야경이 멋진 세체니 다리

식사 후에 아이 목욕 가운을 사려고 시내 중심가를 돌아다녔는데 결국 사지 못했다. 우리가 살던 부다 지역보다 여기 페스트 지역이 더 번화가여서 놀기 좋은 곳 같았다. 이곳저곳을 돌아다니다가 다시 에르제베트 다리를 건너서 강변을 쭉 따라서 세체니 다리를 지나 국회의사당까지 걸어왔다. 부다페스트에서 마지막 보는 야경이라서 더 눈에 담고 싶어 트램을 타지 않고 30분 넘게 걸어서 호텔로 왔다.

황금색으로 빛나는 국회의사당을 배경으로 가족사진을 많이 찍었다. 이곳도 한국인 단체 관광객이 와서 한때 엄청 북적였다. 호텔로 돌아와서는 내일 아침 체크 아웃을 할 예정이라서 짐을 어느 정도 싸고 나와 아내는 호텔 바에서 얻어 온 얼음을 가지고 토카이 와인 아쑤 5와 사모로드니(Szamorodni)까지 마시며 마지막 야경을 안주 삼아 기울였다.

따로 똑같이

아이가 찍은 아내와 나

온천으로 세계는 하나

2024년 1월 22일-23일(월-화)(19일째)-부다페스트에서 인천

몽환적인 새벽

귀국날이 밝았다. 다소 뿌연 한 안개에 싸인 국회의사당을 바라보며 아침을 시작했다. 서둘러 나와 아내는 짐을 싸고 아이를 깨웠다. 여행 말미부터 여행 끝나가는 걸 아쉬워한 아이는 마지막 날이 온 걸 아쉬워하듯 겨우 일어나서 나갈 채비를 했다. 우리는 오전에 온천을 갈 예정이라 미리 체크 아웃을 하기로 했다. 호텔 체크 아웃을 하고 캐리어를 맡긴 다음 마트에 들러 간단히 마실 음료와 빵을 샀다. 그리고 지하철을 타고 세체니 온천역에서 내렸다.

영하의 날씨 속에서 온천이라니 기대가 되었다. 세체니 온천 (Széchenyi Gyógyfürdő és Uszoda)은 유럽 최대 규모의 온천이면서 온천으로 유명한 헝가리 온천의 대명사와 같은 곳이었다. 1913년 완공되었으며, 건축가 죄죄 치글러가 설계한 네오르네상스 양식과 네오바로크 양식이 혼합된 화려한 외관으로 유명했다. 온천은 총

18개의 온천탕과 사우나, 수영장 등으로 이루어져 있는데, 온천수는 74°C와 77°C의 2개의 샘에서 공급되며, 황산염, 칼슘, 마그네슘, 중탄산염, 불소 등이 함유되어 있다. 그래서 관절염, 신경통, 피부 질환 등에 효능이 있는 것으로 알려져 있고 옛날에는 치료 목적으로 많이 찾았다고 했다.

궁전의 목욕탕

우리는 만 9살 아이가 있어서 실내 입장이 안되고 야외 온천장에서만 지낼 수 있어서 가격만 생각한다면 아까웠지만, 여행의 마지막 피로를 푼다는 생각으로 방문했기에 열심히 있는 한에서 즐겼다. 우리가 입장한 시간은 오전 9시 전이어서 다소 할인된 가격으로 들어갈 수 있었는데, 이미 사람들이 꽤 있어 보였다. 확실히 겔레르트 온천보다는 사람이 많았고, 남녀 탈의실이 분리되어 있었다. 야외 온천장은 상당히 커서 여기서만 놀아도 충분할 것 같았다. 전 세계에서 모인 사람들이 한데 모여 온천을 하고 있는 모습을 보니 신기하고 낯설었다. 정말이지 온천으로 전 세계인이 하나가 된 것 같았다. 한 겨울 아침에 온갖 나라의 말이 들리고, 온갖 사람들이 함께 온천을 한다는 것이 쉬운 경험은 아니었다. 아이는 아무것도 먹지 않았지만 정말 재미있게 놀면서 시간을 보냈다. 입장객들 대부분이 성인이고 아이들은 10명도 안 되는 것 봐서 가족끼리 오지 않는 이상 대부분이 친구나 연인 같아 보였다. 세 시간 넘게 놀고 난 후 씻고 나와서 점심 식사로 베트남 쌀국수를 먹으러 갔다. 가는 길에 세계 10대 레스토랑이라는 군델 레스토랑(Gundel Étterem Kávéház)을 지나갔지만, 우리에겐 국물 있는 쌀국수가 우선이었다.

신나게 온천욕

가는 길에 헝가리 건국 1,000년을 기념하여 1896년에 완공된 회쇠크 광장(Hősök tere)을 지나갔다. 광장의 중앙에는 1848년 헝가리 혁명의 영웅들을 기리는 기념탑이 있는데 꼭대기에는 헝가리의 국부인 성 이슈트반 왕이 서 있고, 밑에는 헝가리의 역사에서 중요한 역할을 한 14명의 인물 동상이 있다. 광장 주변에는 박물관이 늘어서 있으며 그곳을 지나서 식당에 도착해 곧바로 주문해서 쌀국수와 딤섬으로 뜨끈한 식사를 하고 나서 부다페스트의 시내 중심가인 언드라시 거리(Andrássy út)로 나왔다. 이 거리는 헝가리 건국 1,000년을 기념하여 1872년부터 1885년 사이에 건설된 거리로서 거리는 2.5km 길이에 달했다. 서울이나 다른 유럽 대도시의 주요 거리와 비교하면 폭이 그리 넓지는 않았다.

카페 가는 길에 보인 리스트 페렌츠 기념관(Liszt Ferenc Emlékmúzeum)은 헝가리의 대표적인 작곡가이자 피아니스트의 신으로 칭송받는 리스트의 유품과 작품을 전시하고 있었다. 리스트가 말년에 부다페스트에서 거주하던 집을 개조하여 만든 박물관으로 1886년 리스트가 사망한 후, 그의 유족들이 그의 집을 박물관으로 기증했다. 조금 더 걸어가니 헝가리 국립 오페라 하우스(Magyar Állami Operaház)의 웅장한 모습이 나타났다. 유럽에서 역사가 깊은 도시라면 오페라 하우스가 있는데 이곳은 그중에서도 손꼽히는 크기를 자랑했다. 네오 르네상스 양식의 오페라 하우스로서 1884년 9월 27일에 개관했으며, 헝가리 국립 오페라단이 상주하고 있다. 우리가 가려는 카페는 이 오페라 하우스 맞은편에 있는 뮈베스 카베하즈였다.

리스트 기념관과 오페라 하우스

뮈베스 카베하즈(Művész Kávéház)는 예술가 카페로서 1898년 11월 11일에 개관했으며, 100년이 넘는 역사를 가지고 있었다. 건축가 리하르트 루트비히가 설계했으며, 화려한 네오바로크 양식의 건축물이 특징으로 1층은 커피와 차, 디저트 등을 판매하고, 2층은 예술가들의 전시장으로 사용되고 있다. 헝가리 예술가들의 모임 장소로 유명했으며, 20세기 초반 헝가리 문화 발전에 중요한 역할을 했던 곳이었다. 우리는 코르타도, 레모네이드, 딸기 스무디와 홈메이드 밀푀유를 주문해 이번 여행의 마지막 여유를 즐겼다.

이번 여행 마지막 카페

공항 갈 시간이 되어서 우리는 언드라시 거리를 걸어 호텔로 데려다 줄 트램을 탔다. 페스트 지역에서 부다 지역까지 다뉴브강을 건너는 트램을 타고 이 도시와 안녕을 고했다. 느리게 흘러가는 강줄기처럼 천천히 여행의 시간이 가길 바랐는데 목적지에 도착한 트램처럼 우리도 여행의 끝에 도달해 있었다. 호텔에서 캐리어를 받아서 미리 예약해 둔 택시를 타고 부다페스트 페렌츠 리스트 국제공항으로 갔다. 생각보다 큰 공항은 아니어서 구경할 것은 많이 없었지만, 곧 비행기 타는 우리로서는 이마저도 즐거웠다.

한국으로 데려다 줄 공항

아이는 비행기 안에서도 계속 아쉬워하고, 한국으로 가서 지낼 일상에 대해 계속 곱씹으며 미련을 남겼다. 작년 여행에서는 안 그러더니 아이도 커가면서 더욱 여행의 매력을 즐기게 된 것 같았다. 두 번의 기내식을 거치며 11시간의 비행 끝에 우리의 정겨운 보금자리가 있는 대한민국, 인천 국제공항에 도착했다. 늘어진 몸으로 공항에서 다시 공항버스를 타고 우리는 4시간 가까이 달려서 우리의 일상이 시작될 곳에 발을 내디뎠다.

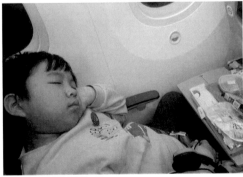

꿈나라 여행

공항에 도착해서는 먼저 걱정할 어머니에게 연락을 했다. 어머니가 지금 편찮아서 거의 매일 화상 통화하며 안부를 물었다. 병상에 있으면서도 멀리 여행 간 우리를 걱정하는 마음에 마음이 먹먹해졌다. 병원 진료 결과가 걱정돼서 연락한 날에는 결과가 괜찮으면 나도 마음이 조금 놓인 채로 여행을 다녔던 것 같았다. 어서 쾌차해서 함께 다녔으면 좋겠다는 소망을 갖고 성당을 방문할 때마다 어머니 건강 회복을 위한 기도를 드렸다.

이번 여행 이후 우리의 여행 리스트에 유럽은 향후 몇 년간 갈 예정이 없었는데, 그간 튀르키예와 그리스, 서유럽. 남유럽을 다녀오고 이번에 동유럽까지 다녀왔기 때문이었다. 북유럽이 남아 있으나 그건 아이가 더 큰 다음 갈 예정이었다. 이번 동유럽 여행은 이쪽만의 문화를 느끼고 역사를 짚어보는 경험한 좋은 시간이었다. 게르만족과 슬라브족, 마자르족이 만들어 놓은 이 세계가 과거부터 현재까지 어떻게 흘러갔는지 도시를 가로지르고 둘러싼 강들을 보며 많은 생각을 했다. 특히 독일과 오스트리아에서 만난 바흐와 모차르트는 나에게 넘치도록 클래식 감성을 채워주었다.

세상 밖 여행을 해보며 조심해야 하는 건 그 나라를 평가하는 근거로 여행을 들어서는 안 된다는 것이었다. 여행에서 얻은 경험은 그 시간에 그 공간에서 오감으로 겪은 것이고 그때 만난 사람들과의 교감일 뿐, 그게 어느 도시나 나라의 평가로 이어지려면 정주 생활은 해야 한다는 게 내 생각이었다. 나는 잠시 스쳐 가는 여행객으로서 〈아이와 세계를 걷다〉 시리즈를 쓰고 있기 때문에 고정관념처럼 비칠 수 있는 그 부분이 경계 되었고, 내가 쓰는 건 여행에서 얻은 짧은 교감이자 기억이라는 것이었다.

그래서 기억으로 풀자면 이번 여행에서 가장 좋은 기억으로 남은 여행지는 체코와 슬로바키아였다. 체코 프라하는 아내가 참 좋아했고, 여행 온 뜨내기들을 다룰 줄 알았다. 그만큼 프로페셔널하면서 또 친절한 민낯이 보였다. 슬로바키아는 물가도 저렴하며 분위기가 비슷하나 관광지가 아닌 듯한 붐비지 않는 느낌이 좋았다. 또한 친절하고 특히 저녁 식사한 레스토랑이 정말 좋았다. 사실 친절로 따지면 독일과 오스트리아 사람들도 친절했다. 뭔가 잘 모르면 알려주려고 애쓰는 모습이 고마웠다. 다만 스몰 토크를 좋아하는 나로서는 이번 동유럽 여행에서 입을 많이 닫아야 해서 재미는 살짝 떨어졌다. 다섯 나라 중에 독일, 체코, 오스트리아, 슬로바키아까지 참 좋아서 한국으로 돌아가는 날이 다가오는 걸 미루고 싶었다. 다만 독일 철도 파업으로 인해 취소된 베를린-프라하 열차 값을 환불이 아닌 바우처로 준다고 해서 예전 그리스 때의 악몽이 되살아났다.

어쨌든 그런 면에서 헝가리는 기대가 높아서 그랬는지 많이 아쉬운 여행지였다. 일단 물가가 생각보다 비싸서 놀랐다. 체코와 비슷한 수준인 줄 알았지만, 독일과 비슷한 수준인 듯했다. 이번 여행하면서 외식 기준으로 느끼기에 물가가 비싼 나라는 오스트리아였고, 그다음이 독일과 헝가리였으며, 체코 다음 슬로바키아가 가장 저렴했다. 오스트리아와 독일은 그렇다고 해도 헝가리 물가가 비싸서 놀랐는데 현재 러시아-우크라이나 전쟁 때문이라지만, 다른 나라도 영향을 안 받는 건 아닐 텐데 말이었다. 우리가 방문하는 곳들이 유명한 곳들이라고 해도 그건 다른 나라도 마찬가지였다. 그리고 생각보다 불친절하며 돈을 얻어내려고 느껴져서 놀랐다. 뭔가 80, 90년대 우리나라에 여행 온 외국인들이 당했던 일들이 일어나는 것 같았다. 나의 여행관 첫머리인 여행은 어디를 가느냐보다 누구와 가느냐를 봤을 때 결국 사람이었다. 이번에 우리와 말을 섞고 우리와 뭔가 부딪히

게 된 헝가리 사람들, 부다페스트 사람들이 좋게 기억될 인연이 아니었던 것이었다. 전부가 그런 건 아니고 몇몇 경험이 우리에게 그런 이미지를 심어주었다. 우리도 꽤 여러 나라를 다녀보며 경험치가 쌓였는데 누구에겐 최고였을 헝가리 부다페스트가 우리에겐 낙제에 가까웠다.

아마 앞으로 가게 될 나라 중에서 헝가리보다 못한 경험으로 인해 오히려 헝가리 부다페스트에서의 기억이 좋게 미화될 수 있겠지만, 그때의 상황이나 인연은 우리가 어찌할 수 없는 일이니 더 낙제가 되지 않도록 이번 여행의 경험을 밑거름 삼아서 더 제대로 준비하고 생각해야 한다는 것을 배웠다. 또 이렇게 우리도 여행의 기술을 쌓아가는 것이라고 생각했다. 아이는 점점 더 커서 이제 내가 목마 태우고 다니던 그 꼬마가 아니었다. 오히려 나보다 아는 것이 생기기도 했고, 자기 것을 챙길 줄도 알았다. 물론 어린애 같은 면도 많이 보였다. 처음 세상 밖으로 나갔을 때는 아기띠를 해서 데리고 다녔는데 벌써 만 9살이니 어엿한 한 사람 몫을 해나가고 있었다. 본인 캐리어를 갖고 다니고, 자기 준비물도 챙기고, 대화시키면 물어볼 줄도 알아서 앞으로가 더 기대되었다. 그리고 아이가 일상을 벗어난 여행을 진심으로 즐기게 되었는지 계속 여행이 끝나가서 아쉽다는 소리를 독일에서부터 하더니 빈에 도착해서는 매일 하고, 헝가리에 와서는 하루에도 열 번 넘게 말했다. 우리가 여행을 모두 좋아해서 참 다행이고, 고마웠다. 덕분에 <아이와 세계를 걷다> 시리즈가 계속 쓰인다는 것에 감사했다. 시간과 돈도 중요하지만, 무엇보다 건강하고 우리가 함께해야 가능한 기록이었다.

부다페스트의 여기

우리가 걷고, 바라본 곳

비엔나 게이트(Bécsi kapu)

부다성(Budai Vár)

겔레르트 온천(Gellért Gyógyfürdő és Uszoda)

자유의 초록다리(Szabadság híd)

그레이트 마켓 홀(Nagy Vásárcsarnok)

세체니 다리(Széchenyi Lánchíd)

다뉴브 강가의 신발들(Cipők a Duna-parton)

엘리자베트 광장(Erzsébet Tér)

성 이슈트반 대성당(Szent István Bazilika)

도하니 거리 교회(Dohány utcai Zsinagóga)

뉴욕 카페(New York Café)

마차시 성당(Mátyás Templom)

어부의 요새(Halászbástya)

파리의 통로 레스토랑(Párisi Passage Restaurant)

세체니 온천(Széchenyi Gyógyfürdő és Uszoda)

회쇠크 광장(Hősök tere)

뮈베스 카베하즈(Művész Kávéház)

국회의사당(Országház)

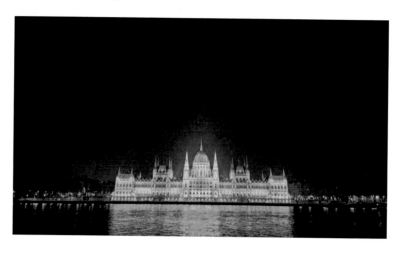